LA DRÔLE D'ÉVASION

D1530808

Séverine Vidal

LA DRÔLE D'ÉVASION

Illustrations Marion Puech

Pépix

ÉDITIONS SARBACANE

Pour mes compagnons du road trip,

et en souvenir de ce cher Hervé pour son accueil à bord.

Prologue

Attendez une seconde, avant de commencer !

Faut que je précise un truc hyper IMPORTANT.

Croyez-moi ou pas, vous vous apprêtez à lire un roman d'aventure vraiment pas comme les autres.

Moi, j'ai pas beaucoup d'imagination, alors je serais bien incapable d'inventer L'INCROYABLE histoire que vous allez découvrir. La vérité, c'est que tout ce que vous allez vivre avec moi tout au long de ces pages est…

… RÉEL.

Hé oui ! L'île d'Alcatraz existe et on peut la visiter. Il y a *vraiment* une tribu d'éléphants de mer installés sur le Pier 39.

Le 11 juin 1962, Frank Morris et les deux frères Anglin se sont bel et bien évadés d'Alcatraz, « la prison dont nul ne s'échappe ».

Officiellement, ils n'ont jamais été retrouvés – c'est pourquoi leur évasion n'a pas pu être prouvée. La majorité des gens qui s'intéressent à leur histoire pensent qu'ils sont morts noyés ; mais une poignée d'autres (en gros : leurs familles, un shérif nommé Michael Dike et… moi, Zach) sont sûrs qu'ils s'en sont sortis.

Leur *projet* d'évasion, en revanche, est attesté, et il fut incroyablement rocambolesque : mannequins fabriqués en papier mâché placés dans les lits afin de les « remplacer » pendant l'évasion pour tromper la vigilance des gardes, tunnel creusé à la petite cuillère pendant deux ans, canot construit à l'aide d'imperméables

cousus ensemble, gonfleur conçu à partir d'un accordéon (siiiii !!!)…

Il y avait bien un quatrième larron, Allan West, qui
n'a pas pu les rejoindre à temps : il a dû retourner dans
sa cellule.

Enfin, une voiture Chevrolet de couleur bleue a bien
été volée dans la nuit du 11 au 12 juin 1962.

Si le cœur vous en dit, allez vérifier tout ça sur Internet ! Mais… si j'étais vous, j'attendrais d'avoir fini le
livre. Vous verrez, ça vaut le coup !

Voilà.

Pour le reste : je vous laisse penser ce que vous voulez.

Moi, la vérité je la connais. Et je l'aime bien.

Maurice Mouchon
20, allée de la liberté
34800 Clermont l'Hérault
FRANCE

Salut Papy,

On est en Californie et la vie est belle ! C'est trooop beau. La baie de San Francisco te plairait beaucoup. Le Golden bridge est bien rouge, il y a du vert et l'eau est gelée : on ne peut pas se baigner. ☹ Demain, on visite l'ancienne prison d'Alcatraz, qui se trouve sur une île au large de San Francisco. Tu la vois sur la carte (le gros bloc de béton perché sur un rocher, là !) C'est une prison très célèbre, celle d'où personne ne s'est JAMAIS évadé. Bon, j'espère que ça sera bien (maintenant, c'est comme un musée qu'on visite. Je te montrerai des photos !) À bientôt à Clermont. Peut-être à Noël si tout va bien ! Bisous ZACH

Papa, maman, l'impossible et moi

D'un coup sec, je referme l'ordinateur de mon père. J'ai toutes les infos qui me manquaient. Va falloir jouer serré, pas se faire repérer. Tout est prévu : normalement, ça devrait passer. Des mois que je la prépare en douce, ma petite aventure.

Il a d'abord fallu, l'air de rien, m'arranger pour que mes parents « décident » de venir passer nos vacances ici, à San Francisco.

Bon, je vous refais l'histoire, vu que vous prenez un peu le film en cours. Je m'appelle Zach, ma mère est française et mon père américain. On vit aux États-Unis, à Bend, dans l'Oregon – une ville où il ne se passe jamais rien. Moi, je suis plutôt bien assorti à l'endroit où j'habite : il ne m'arrive jamais rien. Enfin, si ; parfois, quand même, je tombe en skate, je rate mon bus, j'avale mes nuggets de travers... voyez le genre de vie fascinante. Alors mes aventures, je les vis dans les livres. Je me plonge dedans, une vraie manie : Zach-tête-de-bouquin, voilà un surnom qui m'irait bien.

D'habitude, les vacances, ça se déroule de cette façon : ma mère rêve de grands espaces, Vallée de la Mort ou Grand Canyon ; mon père rêve de rester à la maison, comme toujours. Son ordinateur, ses jeux et ses consoles, ça lui suffit.

« Des vacances ? Mais pour quoi faire ? » c'est ce qu'il répète chaque année.

Lui, c'est un papa d'un genre marrant, hyper distrait, la tête complètement ailleurs. C'est un créateur de jeux vidéo, et même un créateur réputé. On lui doit *Rebel Attack, Forbidden Planet* et *Demoniak Dark Land*. Sa vie, c'est les ordinateurs, les consoles, toutes ces machines sur lesquelles il invente, teste, améliore ses propres jeux. Moi, ces trucs-là, ça ne m'a jamais excité. Au grand désespoir de mon père, je préfère me noyer dans les romans d'aventure.

Je sais : cette phrase ferait *s'évanouir de bonheur* plus d'un parent... mais je vous jure que c'est la vérité vraie. Je suis comme ça. Un spécimen à part, le môme rêvé ! (Ça m'empêche pas d'être cool, hein). À force de tourner des pages et des pages, je suis déjà devenu – entre autres : **Zachary le Vaillant** un chevalier de la table ronde ; **ZACH-SANS-PEUR**, un pirate des mers du Sud ; ou encore **PLUME ÉTANCHE**, un chef indien de la tribu Navajo ! Toute une bande de héros à moi tout seul.

Bref. Du mois de mars au mois de juin, pendant que ma mère élabore des projets pour l'été et que mon père la laisse faire, moi, j'attends qu'ils se décident. Enfin, que ma mère décide et que mon père, en levant à peine ses lunettes de piscine[1] de son écran, lâche l'affaire d'un paisible :

« On fera ce que tu voudras, Avril[2]. Aucun problème. Bronzette sur une plage en France, randonnée à dos de chameau au Maroc ou stage de jet-ski en Grèce : c'est toi qui vois. »

Sauf que cette fois, j'ai changé le cours des choses ! En vérité, j'ai profité d'une occasion en or : mon anniversaire, qui a eu lieu le mois dernier (même que j'ai pris un sacré coup de vieux – ça fait pas mal). Au moment de souffler mes neuf bougies, je les ai regardés tous les deux, mes parents un peu spéciaux, et hop, j'ai choisi

N'oublie pas de lire mes notes de bas de page !

[1] Salut ! C'est moi. Ici, je précise des trucs. Donc, vous devez savoir que mon père est un spécimen de père très spécial. Il faudra une fiche complète pour que vous compreniez bien. Mais bon, sachez que OUI, Caleb J. Mackenzie porte des lunettes de piscine en plastique bleu quand il travaille sur son ordinateur. Il a décrété que ça lui fatigue moins les yeux.

[2] Ma mère s'appelle Denise, comme toutes les femmes de la famille, depuis 1754. Alors, quand elle a rencontré mon Américain de père, elle s'est trouvé un prénom plus rigolo. Denise Mouchon est devenue Avril Mackenzie jusqu'à ce que la mort les sépare, et voilà.

de grandir ; fini le tout petit garçon dans les jupes de son père.[3]

J'ai dit comme ça, sur un ton de ministre :

« Papa, maman : cet été, on ira à San Francisco. Il y a des trucs très chouettes, là-bas. Des éléphants de mer, un quartier chinois, des musées pour papa et même la maison bleue de la chanson préférée de maman[4]. »

Évidemment, je ne leur ai pas TOUT dit. Pas la peine de leur raconter mon secret fou, le grand projet que j'avais en tête : prouver à la terre entière que, hé si, on PEUT s'évader de la célèbre prison d'Alcatraz, et même, hé ouaiiis les gars, que c'est DÉJÀ arrivé !

Mes parents se sont regardés sans rien dire, et puis...

---

[3] Me revoilà. Je sais, c'est pas toujours facile de suivre. Mais OUI, encore OUI : chez nous, c'est mon père qui porte (parfois) des jupes quand il travaille. Jamais dans la rue, ouf. Il a des origines écossaises et ça se fait, là-bas, de porter un kilt à carreaux. Papa dit que ça reste quand même plus élégant qu'un vieux jogging délavé. Et puis, c'est la tradition chez ses ancêtres. Une tradition confortable et un peu rigolote, parce que sous leurs jupes, les vrais Écossais ne portent pas de caleçon. Je n'ai jamais demandé à Papa s'il respectait la tradition jusqu'au bout. D'ailleurs, je préfère ne pas savoir.

[4] Ma mère a une idole, c'est Maxime Leforestier – un ancien chanteur français qui a de la barbe et qui marche pieds nus sur les passages cloutés (ah non là, je confonds avec les Beatles). Il a une chanson très connue qui s'appelle *La maison bleue*. Et elle se trouve vraiment à San Francisco, cette maison bleue de la chanson préférée d'Avril Mackenzie-Mouchon ! Même que, comme dans la chanson, elle est "accrochée à la colline". Mais elle est fermée à clef.

« Oui, bon, pourquoi pas, a décrété maman. Va pour San Francisco ! »

Elle a fini sa part de flan courgette-miel (mon dessert favori), Papa s'est gratté la moustache hyper sérieusement et il a déclaré :

« Je suis fier de toi, mon bonhomme. C'est bien de prendre des décisions dans la vie, on voit que tu as grandi ! Dix ans… ça passe vite, pas vrai ? »

En éclatant de rire, je lui ai rappelé qu'on venait seulement de fêter mes 9 ans (je lui en veux pas, il n'est pas très « dates »), et puis j'ai ouvert mes cadeaux sous les yeux médusés de maman, pendant que papa faisait des calculs savants, sur la nappe, pour vérifier mon âge.

Ce jour-là, j'ai eu :

✔ Un accordéon

✔ Une tête à coiffer

✔ De la peinture couleur « *peau de prisonnier* »

✔ Un imperméable XXL à motifs « camouflage »

Bref, tous les cadeaux que j'avais demandés. Tout ce qu'il me fallait pour réussir mon plan. Mes parents n'ont pas posé de questions – ils se sont sûrement dit que, comme souvent, j'avais mes raisons. Une aventure, un jeu de rôles, une nouvelle collection... mais vous, avouez-le : vous vous demandez un peu à quoi ça va servir, tout ce bazar ?

Faudra patienter : je ne vous en dis pas plus. Le suspense, c'est un des ingrédients des romans d'aventure. Restez accrochés, ça vaut le coup !

Depuis ce jour-là, je me prépare.

J'ai fabriqué un mannequin qui me ressemble, une sorte de beau gosse en plastique, quoi. Ça m'a pris du temps, il a fallu démonter la tête à coiffer et coller dessus des mèches de cheveux. (Imaginez-moi, à quatre pattes chez le coiffeur, en train de ramasser par terre – et rapidos – mes boucles tout juste coupées. Personne n'a rien vu, j'ai tout caché dans mes poches).

J'ai dû aussi faire semblant d'aimer l'accordéon (alors que c'est pas pour l'amour de la musique que j'ai commandé ce machin !) : une répèt' par jour, pour ne pas éveiller les soupçons. En même temps, qui aurait pu se douter qu'un simple accordéon soit l'un des accessoires « clef » de mon plan diabolique ?...

Ensuite, il y a eu la phase *découpage et couture* de l'imperméable, pour lui donner la forme d'un bateau gonflable.

Là, maintenant, je viens de vérifier les derniers détails sur mes notes imprimées, lues et relues, apprises par cœur, et je crois que tout est réglé. « Comme du papier à musique », dirait Papy.

On est à San Francisco depuis hier. Notre visite d'Alcatraz a lieu… dans une heure !!!

C'est ce matin, devant mon bol de corn-flakes, que tout s'est joué.

Moi (faussement innocent) :

« Alors maman, tu vas la visiter, LA maison bleue ? »

Ma mère (faussement contrariée) :

« Oui… mais ça m'embête pour vous deux. Qu'est-ce que vous allez bien pouvoir faire, mes chéris ? »

Moi (si près du but !!!) :

« Oooh, t'en fais pas mamounette ! On va bien trouver à s'occuper. Hein, papa ? Tiens, on pourrait aller voir la prison d'Alcatraz ? Ils organisent des visites guidées. »

Papa (qui n'a rien écouté du tout) :

« Super ! Ça me va. »

Cher vieux père. Je crois que je pourrais demander un petit verre de whisky ou un aller-retour sur Mars, il répondrait toujours : « Super, ça me va ! » sans décoller de son écran…

Moi (mais dans ma tête) :

« *Voilà, c'est gagné. Le plan se déroule comme prévu.* »
Une fois qu'on aura accosté à Alcatraz, je suivrai le guide un moment avec Papa dans mes pattes. Et puis, très vite, je la joue solo. Un tout petit zeste de chance de rien du tout ça suffira pour que cette dernière étape fonctionne comme les précédentes. J'y crois. Le but de la manœuvre, c'est que papa reparte de la prison-musée *sans moi*. Évidemment, je compte pas mal sur la personnalité « à part » de mon père.

Je vous ai dit qu'il est distrait ; mais je n'ai pas eu vraiment l'occasion de vous dire à quel point. Caleb MacKenzie se perd VINGT FOIS PAR JOUR et oublie TOUJOURS tout : c'est le genre à retrouver ses clefs de voiture dans le congélo et son passeport dans le tiroir à chaussettes. Pour vous donner une idée précise du bonhomme : à ma naissance, il a quand même

LAISSÉ MA MÈRE À LA CLINIQUE !!! Il s'est aperçu au feu rouge qu'il avait bien le bébé, mais pas la maman. Après un demi-tour façon film d'action, il a retrouvé Avril dans la salle d'attente de l'hôpital, en larmes. Elle a pardonné, comme elle a pardonné toutes les fois où il a oublié leur anniversaire de mariage, d'acheter du pain en rentrant, ou moi à la sortie de l'école.

Est-ce qu'elle lui pardonnera, cette fois, de revenir au camion[5] sans son fils, ce soir, après la visite d'Alcatraz ?

Pas sûr. Mais pas le choix, il faut que je le fasse.

---

[5] Hé oui, on a loué un camping-car rouge pour les vacances, bien voyant, histoire que mon père ne le confonde pas avec un autre et ne se retrouve pas à passer la soirée avec une autre famille avant de réaliser qu'il s'est trompé : « Mais vous n'êtes pas Avril, qui êtes-vous, madame ? »

Nous voilà au Pier[6] 39, comme prévu.

Regardez un peu ce décor : la baie de San Francisco, ciel bleu et vent fou. Plein de touristes sur les quais, une enfilade de baraques et de magasins en bois. Des boutiques de *Fish and chips*, de glaces et de barbe-à-papa, et au milieu de tout ça : nous deux.

On observe un moment les éléphants de mer. Coup de chance, ils sont une bonne vingtaine à se prélasser au soleil, sous le regard d'autant de touristes, plus mon père et moi. Ça lui plaît à Caleb, ces petites bestioles.

---

[6] « Pier », ça veut dire ponton, en anglais. À San Francisco, une colonie d'éléphants de mer a élu domicile depuis des années sur un ponton au port, le fameux « Pier 39 ». Les bateaux ont dû quitter les lieux pour laisser la place à ces animaux marins, qui font le bonheur des touristes… et de mon père.

Bon, petites, c'est pas le mot : la taille d'un gros hippopotame, une tête de mignon bébé phoque, des poils (énormes !) de moustache en plus… En tout cas, papa adore. Moi j'aime bien la nature, les animaux, tout ça, mais je préférerais qu'on décolle, maintenant. Pas envie de louper le bateau vers l'île d'Alcatraz à cause de ces gros machins poilus.

« Euh, papa, on y va ? Le bateau part dans… »

« Quarante-deux minutes, fiston. On a tout le temps. Vise un peu celui-là. Il est marrant. »

Allez, jouons le jeu. Je m'approche pour voir la bête de plus près.

Un sacré spectacle, bien ficelé. À croire que c'est fait exprès pour attirer les touristes !

« Il t'aime bien, non ? » me lance papa.

Et, le pire, c'est qu'un éléphant de mer tend son museau vers moi, même qu'il glisse sur le ponton en éclaboussant les gens au passage ! Il se rapproche, franchement bizarre, comme si on se… connaissait, tous les deux !

« Salut Jean-Louis. Tu sais que t'as une trombine à t'appeler Jean-Louis ? On s'est déjà vus ? » je dis en me marrant.

Papa éclate de rire. Mais Jean-Louis, pendant ce temps, est encore là, à m'observer, avec ses gros yeux glauques.

Pendant quelques secondes, j'ai comme l'impression qu'il me... *comprend*, ce Jean-Louis. Il s'est arrêté net, et son regard a un truc très bizarre, presque humain. Bon, je débloque un peu, mais vous voyez.

On reste un moment comme ça.

Et puis, d'un coup, je repense « bateau-Alcatraz-aventure » : brusque retour à la réalité, je tire mon père par la manche, salut Jean-Louis ! Et on file faire la queue pour grimper sur une des navettes de la compagnie *ALCATRAZ CRUISE*, qui organise les visites de la prison-dont-nul-ne-s'est-jamais-évadé.

Mon œil, oui. Ça, c'est ce que les gens racontent. La légende de la prison parfaitement gardée, au milieu des eaux glacées de San Francisco, et tout le monde y croit. Moi… À force de lire TOUT ce qui a été écrit sur le sujet, je suis devenu assez pro dans le domaine. Un genre de spécialiste.

Et j'ai une théorie. Je pense que trois prisonniers ont *réussi* leur évasion.

Voilà ce que je sais : le 11 juin 1962, Frank Morris, avec ses complices, les frères Clarence et John Anglin se sont échappés de la prison. On ne les a jamais revus.

Presque tout le monde pense qu'ils n'ont *pas survécu* à la traversée. Que la mer était démontée cette nuit-là, que l'eau était trop froide et qu'ils sont morts noyés. Je suis persuadé, au contraire, qu'ils ont rejoint le continent et qu'aujourd'hui, ils coulent des jours tranquilles au Mexique ou ailleurs.

Je ne suis pas exactement le seul à penser ça. Il y a ce gars, Michael Dike, un shérif qui les traque depuis plus de dix ans. Lui aussi, il est sûr qu'ils sont vivants. J'ai lu un article où il explique que s'il les retrouve, il leur passera les menottes en leur disant :

« Belle évasion, les gars. Vous m'aurez donné du fil à retordre. Maintenant, vous êtes en état d'arrestation. »

Eh bien, vous savez quoi ?…

… je vais prouver qu'il a raison, ce shérif (en fait, on dit « Marshal »).

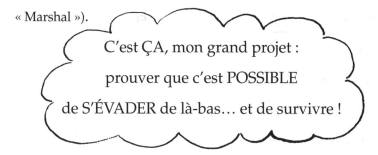

C'est ÇA, mon grand projet :
prouver que c'est POSSIBLE
de S'ÉVADER de là-bas… et de survivre !

Ça y est, on est à bord du bateau ; et dans un film, c'est là que la musique-qui-fait-peur commencerait.

Mais on n'est pas dans un film… et là, dans la vraie vie, mon père s'écrie soudain :

« J'ai oublié le pique-nique ! »

Fidèle à sa réputation. Des fois, je me dis que l'étourderie, chez lui, c'est comme une seconde peau.

« C'est rien, papa. T'as dû le ranger dans ta trousse de toilette. »

Il devrait rire, normalement. C'est un peu marrant, ce que je viens de répondre. Mais non. Ah : je sais ce qu'il est en train de faire. Il réfléchit, il se remémore la matinée. Il se demande si, par hasard, il n'aurait pas en effet laissé le pique-nique dans un endroit *moyennement prévu pour*. À ce stade, si c'était moi le réalisateur du film, j'hésiterais entre une musique vraiment drôle et un air flippant, mystérieux… Parce que parfois, mon père est à la limite du surnaturel.

En attendant, je pense à la suite des événements. Des événements dont j'ai prévu le déroulement, de A à Z, ce qui me rassure.

On sera bientôt arrivés. Je vois mon île devenir de plus en plus réelle, là, devant nous. Le bateau se rapproche d'Alcatraz, ma prison, mon rêve, mon superbe projet.

Je suis prêt.

Zachary MacKenzie-Mouchon est prêt à devenir

LE PROCHAIN ÉVADÉ D'ALCATRAZ,

la célèbre prison de la baie de San Francisco.

Sauf que, pour pouvoir s'évader d'Alcatraz, il faut commencer par s'y faire enfermer. La partie la plus délicate de mon plan diabolique.

BONUS N° 1

Caleb MacKenzie en tenue de travail

Lunettes de piscine :
Les miennes, en fait. Mes vieilles lunettes que j'ai eues l'été de mes 3 ans. Il y a même un poisson dessiné dessus, qui dit « j'ai pas pied ».

« Ouais d'accord mais si dans le monde 23 les zombies peuvent devenir invisibles et attaquer les monster mutants, ça enlève des points de vie aux cobras volants alors que si j'ajoute des pièges comme dans Demoniak 4, on pourra aller directement dans le puits de l'infini et... »

Ordinateur :
outil de travail.

Kilt écossais :

« Ce kilt, mon petit bonhomme,
je l'ai hérité de mon père qui l'avait hérité
de son père qui l'avait lui-même hérité de...
sa tante Maggie. Alors un peu de respect. »

**Reste froid de pizza
aux anchois...**

2

À l'abordage !

OK. Profitons de la fin de la traversée pour faire quelques repérages.

Autour de nous, plusieurs familles de touristes en polaire et imper, appareil photo autour du cou, sourires aux lèvres. Certains se croient très rigolos, à porter les machins qu'ils ont achetés dans une boutique sur les quais : tenues de prisonniers à rayures noires et blanches, menottes au poignet et autres accessoires désopilants…

Moi, ce genre de babiole ne me fait pas trop rire, je vous avoue. Ça me gâche presque l'aventure. Déjà que c'est pas évident de se mettre dans la peau d'un aventurier flamboyant quand on a Caleb Mackenzie à ses côtés ! Comment vous voulez rester concentré sur le bon déroulement des opérations avec un père comme le mien ?

Le voilà qui arrive vers moi. En courant. Je *sais* ce qui va se passer… et d'instinct, j'essaie de le prévenir – même si c'est évidemment trop tard.

« 'tention, Papa ! T'as… »

Trop tard, il glisse sur une peau de banane[7] et s'étale à mes pieds.

« … pas beaucoup d'équilibre. »

Deux ou trois personnes se sont retournées sur nous, dont un gros type qui se moque carrément. D'un coup, je voudrais être invisible, me fondre dans le décor, disparaître ou bien, si ça c'est pas possible, me cacher dans un sac de déchets verts…

[7] Hé oui. On voit ça dans les dessins animés ET dans la vraie vie de Caleb Mackenzie : glisser sur une peau de banane, se cogner contre un lampadaire. Si mon père tombe en transportant un seau d'eau, il finit avec le seau enfoncé sur sa tête comme un chapeau.

Mon père se relève d'un bond, pas gêné le moins du monde, il a l'habitude.

« J'étais venu te chercher, fiston. On y va ? »

Nous voilà à terre ; je me retourne pour voir la disposition des rangées de sièges au fond du bateau, et prendre des notes mentales. Alcatraz m'ouvre ses portes.

En levant la tête, je vois cette énorme masse, rochers sombres et bâtiments sinistres. Un escalier imposant nous mène vers les grandes portes grillagées qui délimitent la prison. Des gens se déplacent un peu partout, ça rigole et ça piaille. Étrange impression, ambiance de parc d'attractions. Manquent plus que les oreilles de Mickey.

Oh… moi, je pense à tous les prisonniers qui ont été enfermés ici, comme Al Capone, le parrain de la mafia ! Et ça me fait *froid dans le dos*. J'ai tellement lu d'histoires sur ces types-là ! Tellement que je me sens presque… proche d'eux !

« Eh, les gars ! Me voilà ! » je me dis tout bas, comme s'ils étaient là pour m'accueillir…

On avance pour rejoindre le guide. Tout en marchant derrière moi, Papa râle. Il marmonne qu'il ne retrouve plus, dans l'ordre :

✓ sa crème solaire[8]

✓ ses lunettes de soleil[9]

✓ ses tickets d'entrée[10]

✓ son appareil photo[11]

✓ ses pansements[12].

[8] Elle est dans la poche de son jean.

[9] Elles sont sur son nez.

[10] Il les a dans la main.

[11] Il est resté dans le camion, sans doute accroché au rétro.

[12] Il s'est fait mal en tombant, tout à l'heure. Il se fait TOUJOURS mal, alors il trimballe avec lui, dans son sac à dos, une trousse à pharmacie géante à trois tiroirs, de quoi nous opérer de l'appendicite ou poser un plâtre « au cas où ».

J'ai presque envie de le planter là. Et de me perdre au milieu de la foule : là, il serait dans une belle galère ! Des fois, je voudrais bien avoir un vrai père classique, avec des BN à la fraise dans le sac à goûter et une thermos de limonade fraîche à portée de main. Un père qui dégaine les tickets d'entrée pile quand il faut et qui pense à tenir la main de son fiston pour ne pas l'égarer. En même temps, mon plan tient justement *parce que* mon papa n'est pas du tout ce père parfait, et que je le crois effectivement capable de repartir tout seul ce soir, sans se rendre compte de rien.

Et puis d'ailleurs, si ça se trouve, c'est même *parce que* mon père est comme il est que moi, je suis devenu ce Zach-là !... Je l'ai toujours vu vivre dans son monde, rêvasser, et surtout créer d'autres mondes – ceux de ses jeux vidéo. Des mondes où il se sent plus à l'aise que dans le réel. Sans doute que ça m'a donné envie de m'évader aussi, mais ailleurs. Et pas avec lui.

La visite commence. On piétine dans le grand couloir (c'est la foule des grands jours), devant les cellules alignées sur deux étages, portes rouillées et murs sales. Difficile d'imaginer le quotidien des prisonniers ici… Je repense aux préparatifs de mes trois évadés, ceux du 11 juin 1962, mes héros. Je repense à leurs photos de prisonniers. L'air décidé de **John Anglin**, que je pense être le chef de la bande. La drôle de tête de son frère **Clarence**, avec ses yeux fermés et son grand sourire, comme s'il riait de sa bonne blague. Et puis les yeux froids de **Frank Morris**, qui ressemble plus à un prof de maths qu'à un gangster, tout propre et bien coiffé. Je les connais par cœur, ces images. En fait, je les avais

Les frangins :
John le chef
qui fait peur

et Clarence
qui rigole

Le troisième :
Frank, très
« sérieux »

imprimées pour les étudier, essayer de percer le secret... et le fait de voir leurs visages si décidés, si malins, ça avait fini de me convaincre : ces trois types *n'avaient pas pu* y laisser leur peau. Ils étaient vivants quelque part, et j'allais le prouver. Point.

Et dire que, maintenant, je suis bel et bien là, à marcher où ils ont marché, à respirer l'air qu'ils ont respiré, à longer les murs sur lesquels ils se sont adossés ! Oui, je marche dans leur pas. Et ça ne fait que commencer.

Leurs cellules se visitent, comme toutes celles de la prison. Mais pour ces trois bandits légendaires, des efforts particuliers ont été faits sur la scénographie : par exemple, on peut voir la grille qu'ils ont retirée du mur et le trou qu'ils ont creusé avec des petites cuillères pendant des mois. Quel boulot ! Et puis, il y a aussi ces têtes en papier mâché qu'ils ont fabriquées, plutôt ressemblantes – elles sont posées sur leurs oreillers. Je serre les poings. Bien cachée sous une serviette, tout au fond de mon sac HOMER SIMPSON : ma tête à moi.

« Patience, toi. Tu serviras tout à l'heure. Reste en place. » [13]

Quelqu'un me bouscule : je me souviens brusquement qu'on est en pleine visite guidée.

Un détail me frappe…

« C'est marrant, papa, t'as vu ? Ils sont tous japonais, dans notre groupe ! »

Il n'entend pas.

Mais pas besoin d'explications, je viens de comprendre. Si tout le groupe (à part Caleb et moi) est japonais, c'est tout simplement parce que… la guide parle en japonais.

Moi, je m'en fiche, à mon avis je sais déjà tout ce qu'elle explique. Seulement, papa, lui… il hoche la tête avec les autres touristes en prenant un air sérieux, et en faisant sa fameuse moustache de doigt.[14]

———◇—◇—◇—◇—◇—◇———

[13] Ouais, je sais, je parle à ma fausse tête rangée dans mon sac. Vous moquez pas.

[14] La moustache de doigt, c'est un classique, chez nous : un truc inventé par mon père pour prendre un air sérieux en réunion Vous visualisez le geste ? Non ? Faites un effort, on ne va pas mettre des dessins partout.

Je murmure :

« Euh… Tu comprends le japonais, P'pa ?! »

« Pas du tout, je fais comme si. Je me suis trompé de langue en réservant la visite. Désolé. »

Le pire, c'est que je ne suis même pas surpris…

S'éclipser, c'est la solution. Il me manque quelques détails précis sur les jardins et le chemin qui mène aux rochers. Un repérage s'impose. Suite du plan ! Je me faufile – pas trop dur de passer inaperçu, avec tout ce monde. Décidément ça marche bien, cette attraction : mieux que Space Mountain…

Tout en furetant, je continue à prendre des notes dans ma tête, où pas mal de choses se bousculent. Un peu de trac – ben qu'est-ce que vous croyez ? Dans ce métier, je débute. Pas mal d'excitation, aussi, parce que ça fait longtemps que je l'attends, ce moment. Et un peu de doute en prime, faut être honnête.

OK. Il reste vingt-cinq minutes avant le départ du bateau de retour, et je commence à trouver le temps long, à attendre papa dans la cour. Vingt-cinq minutes, c'est rien pourtant ! Mes évadés ont patienté presque deux ans avant de réussir à s'échapper. Deux ans de préparatifs. Deux ans à s'imaginer en train de bronzer, un beau jour, sur une plage du Pacifique ou de danser avec une jolie blonde au bal du 4-Juillet, ou d'avaler un hamburger géant…

Ouf : la visite est finie, papa revient vers moi.

« Ben t'étais où, toi ? Tu n'as pas suivi la visite ? »

« Tu sais, moi, le japonais… »

« Allez, viens ! Le bateau est à quai. Ta mère doit nous attendre au camion. »

« Tiens, j'ai une idée : dans le bateau, je vais me mettre sur le ponton du fond : je ferai des photos pour maman. »

« Bonne idée. Je me mettrai à côté de toi. »

« Avec ton mal de mer ? Reste près des toilettes, ça vaut mieux. »

« OK, Dr Zach. Je te ferai signe depuis l'escalier. »

Oh là là, oh là là !!! Tout fonctionne comme je l'ai imaginé – en mieux : mon père a oublié ses lunettes de vue, il sera donc quasiment aveugle ! Il est même capable de s'asseoir près de mon mannequin et de parler avec mon faux-moi *sans se rendre compte de quoi que ce soit.*

Après ces longues minutes passées seul à réfléchir dans la cour, tout s'accélère. Les touristes affluent vers le bateau : le dernier avant la nuit. Des gens autour de nous prennent les photos du départ, devant les grilles de la prison il y a Mamie Pétunia tout sourires, Tonton Bill pouces levés, les jumeaux déguisés : Harry Potter donne la main à Batman sur fond d'Alcatraz.

Maintenant, faut faire vite…

Larguer papa, et monter sur le ponton extérieur avec une bonne longueur d'avance sur la foule.

Sortir le matériel et tout mettre en place, avant que les touristes ne me rejoignent à bord.

Je sors ma fausse tête de Zach en papier mâché de mon sac, et je l'installe sur le banc. Comme un grand frère aux petits soins, je lui enfile sa polaire : jaune fluo, bien lustrée, bien voyante.

« *Bon, aide-moi un peu, toi ! Arrête de gigoter !!!* »

Avec ses cheveux collés sur le front et sa capuche, faut admettre que c'est super ressemblant : même moi, je pourrais tomber dans le panneau !

Beau travail.

Espérons juste que les vagues de la baie de San Francisco ne le feront pas tomber pendant le voyage. Ce serait quand même trop bête.

Du bruit, derrière moi : la meute arrive ! À peine le temps de souhaiter bonne chance à mon « *twin* » de plastique, j'enfile une autre polaire pour faire diversion, bleue celle-là, une casquette rouge et hop, je suis quelqu'un d'autre. Dans l'escalier, je bouscule même mon père… qui ne me reconnaît pas du tout.

Vite maintenant, dévaler la passerelle : le *Alcatraz Cruise* part dans dix minutes et j'ai aucune envie de me retrouver coincé dedans !

OK, ça y est. Me revoilà sur l'île.

Dans la cohue, personne ne fait attention à moi. Les gardes sont occupés à prendre les tickets : ça me laisse le temps de remonter en douce le chemin qui grimpe vers la prison…

De là-haut, caché derrière un petit rocher, je surveille ce qui se passe à bord. Cherche mon père des yeux… Là ! Je le vois ! Adossé à un mur, sa console dans une main, il me fait un petit signe de l'autre. Enfin, je veux dire qu'il fait un signe à *celui qu'il croit être moi*, bien sûr. Vous suivez ?

Ah, il se replonge déjà dans son jeu : ça fonctionne. Tout va bien. Je peux souffl…

« T'es perdu, petit ? »

Wooops !!! Ce coup-ci, j'ai frôlé l'infarctus ! En levant les yeux, je découvre un grand type en uniforme noir qui me dévisage.

« Non, pas du tout, je, je… »

Mes mots se bousculent, je n'avais pas prévu ça, et finalement le mensonge vient tout seul :

« Mes parents font le tour des jardins, je les attends. »

« Ben, qu'ils se dépêchent, le bateau va partir ! »

« Oui, je sais. Pas de souci ! Merci monsieur. »

Il repart.

Danger écarté. Les derniers visiteurs rejoignent l'embarcadère. C'est comme si j'étais invisible.

Mon vieux Zach, tu es sur Alcatraz, sans ton père.

L'horloge indique 6 h 15, les employés s'affairent. Certains vident les poubelles, d'autres comptent les sous de

la caisse : tapi dans l'obscurité, je prends quelques minutes pour me poser.

Ça fait si longtemps que j'attends ce moment !

Vas-y, profite, Zach… Tourne les pages d'un roman où le héros, c'est enfin TOI !

Allez ! Regardez-moi ! Hé ! Robin des Bois, Lancelot, Tom Sawyer, Billy the Kid, Robinson Crusoé : vous me reconnaissez ?

C'est moi : Zach.

Maintenant, il me faut un coin tranquille où me cacher, en attendant la nuit. Personne en vue ? Go !

Je grimpe quatre à quatre les marches de l'ancien mirador. Elles sont toutes rouillées et ça bouge sévère – le pire, c'est que, comme ma mère, j'ai le vertige. Du calme. Respire un grand coup, savoure ce truc fou, complètement dingue, que tu vis. J'en rêvais et c'est là. Je suis en haut, les mains agrippées à la balustrade. Mon poste d'observation remue à chaque coup de vent, il faut s'accrocher pour ne pas tomber.

Je regarde le bateau quitter Alcatraz et filer vers San Francisco.

Avec mon père à bord.

La nuit ne va pas tarder à tomber, un petit souffle frais me chatouille le visage.

Oh, qu'est-ce que je me sens bien : LIBRE COMME JAMAIS !

Première partie du plan achevée : le prisonnier Zach Mackenzie-Mouchon est enfermé sur l'île d'Alcatraz, la prison dont personne ne s'évade.

3

Et pourquoi pas le Père Noël, tant qu'on y est ?

À cause de papa et de son oubli de sandwich, j'ai faim maintenant ! La nuit promet d'être longue : l'évasion, la traversée… Il me faut à manger !

Depuis le mirador, j'assiste au départ des employés de l'île. Ils montent dans une navette. D'ici, bien sûr, je n'entends rien de ce qu'ils se disent – je devine seulement les éclats de rire. Peut-être que tous les soirs, c'est les mêmes blagues au moment de reprendre le bateau pour rentrer chez eux ?

« Encore une évasion réussie, ha ha ha ! »

« Ouais, et on est payés pour ça, en plus ! Ha ha ha ha ! »

Alcatraz est à moi, rien qu'à moi.

Oh, mais maintenant que j'y pense… Tout à l'heure, une famille dans le genre normal a jeté un plein sac de nourriture dans un buisson du secteur ! Sandwichs, chips et canettes. Ça me revient, oui, je me rappelle même très bien le fils qui râlait :

« Beuuurk, j'aime pas les sandwichs avec du vrai pain. »

Et la mère qui a répondu : « Mange les chips, jette le reste. » [15]

Sauf que, bien sûr, comme la poubelle était pleine, le môme s'est dépêché de tout jeter dans la nature.

Faut retrouver ce buisson, Zach.

Du vrai pain, moi ça me va trèèès bien.

---

[15] D'habitude, je suis résolument allergique au gâchis ; mais si ça peut me faire un repas gratis…

Coup de bol, le deuxième bosquet que je fouille est le bon ; je m'avale le « vrai pain » en trois bouchées, et puis direction la prison.

À première vue, il n'y a plus personne là-dedans, pas le moindre vigile, balayeur... Silence complet.

Je traverse le couloir des cellules. Difficile de s'orienter dans la pénombre... et naturellement, c'est pas le moment de sortir la lampe de poche.

Selon mon plan, je suis censé attendre la nuit noire en cellule maintenant, histoire de bien me mettre dans la peau des prisonniers.

J'ai le choix : mon hôtel super luxe a 336 chambres !

C'est fou d'être là, non ? À cette heure-là, je devrais avaler une soupe de poisson réchauffée dans le camion...

J'ai lu tellement d'histoires sur Alcatraz ! Sans oublier le film de Clint Eastwood [16], que j'ai découvert avec papa et revu ensuite une bonne centaine de fois...

---

[16] *Les Évadés d'Alcatraz*, un film américain sorti en 1979, qu'on a effectivement regardé tous les deux. Enfin, comme d'hab', papa m'a lâché après le générique de début pour aller « faire un truc ». Il est revenu pour les deux dernières minutes du film : « *Sympa ce petit moment entre hommes, hein ?* »

J'imagine les frères Anglin, John et Clarence, et puis leur pote Frank Morris, en train de se parler à travers les murs, ou dans les rangs, en chuchotant. Oui, j'ai l'impression qu'ils sont à mes côtés, tout près.

En leur honneur, je choisis la cellule de l'un d'eux ; celle où, pour les touristes, ils ont laissé le fameux mannequin en papier mâché. Tout seul ici. Dans le noir. Euuuuh… À quel moment j'ai eu cette bonne idée de vacances, déjà ?!

Assis au bord du lit, d'un coup, j'entends des bruits. Beaucoup de bruits, comme dans le grenier de Papy

Mouchon à Clermont. Ça grince, ça claque. Et ce soir, pas question de me blottir sous ma couette qui protège [17].

C'est rien, Zach. Y a toujours des bruits chelou dans les vieux bâtiments. T'as pas peur, t'as pas peur, t'as pas peur du tout.

Sur la table de nuit de ma cellule, des journaux de l'époque ont été disposés, exprès pour les visites. Je commence donc à feuilleter, m'étendant à côté de mon pote en carton-pâte, un magazine *Life* de 1962.

Voyons voir… Un article sur l'astronaute Scott Carpenter et sa femme Rene. Jamais entendu parler de ces deux-là, mais faut bien passer le temps. En plus, mon copain de cellule n'est pas bavard ; même s'il en sait plus que moi sur les stars de l'époque, il ne dira rien !

Hé là ?

Encore un bruit. Des pas, cette fois. Qui approchent.

QUI APPROCHENT POUR DE VRAI !!!

---

[17] Ma couette Batman protège, oui, parfaitement. Elle éloigne les cauchemars et les remplace par de chouettes rêves, c'est mon père qui me l'a dit et je le crois. Je crois n'importe qui quand j'ai peur, le soir, au fond de mon lit. Même mon père. C'est dire.

Du calme, Zach.

Réfléchis. Inspire. Cherche une idée. Oui ! Une idée de génie… ça se trouve où ?!

Les pas approchent encore. Un gardien de nuit ?

Ça, c'était pas prévu dans mon plan.

Je me glisse sous la couchette, tremblant de la tête aux pieds. Il fait un froid d'ours polaire. Le carrelage est gelé, je vais me faire repérer à force de claquer des dents et j'ai la tête qui tourne, maintenant, mes yeux se ferment tout seuls – comme si ça allait m'aider, tiens ! Comme si ça allait empêcher qu'on me trouve !

Encore un pas, deux, trois ; et une porte qui claque ; et même des rires ! Des rires à glacer le sang.

Mais d'ailleurs, qu'est-ce que j'ai fait du magazine ? Est-ce que je l'ai bien reposé là où il était avant que j'arrive ? C'est malin. T'es foutu, Zach. Aussi, quelle idée. Rester ici, inquiéter tes parents… Je VEUX mon lit !

Attends ?…

Attends : oui ! Les bruits ont cessé. Vite, remettre le magazine en place et sortir rapidos de cet endroit glauque ! Trop dangereux. Trop peur. Tant pis pour le plan : j'étais censé partir par le trou creusé à la cuillère pour rejoindre le toit de la prison , mais c'est vraiment trop terrifiant. Va falloir trouver autre chose !

Ouh là, on n'y voit plus rien du tout ; il fait vraiment nuit, dehors. Je sors ma lampe de poche pour me trouver un autre coin où reprendre mes esprits et…

Des esprits ?

Tiens, mais oui : c'est peut-être ça, tous ces bruits ?

Oh… non. J'aime pas quand mon imagination se met à tourner à plein régime pour me raconter des trucs comme ça… Les fantômes, ça n'existe pas.

Tu le sais bien, Zach, que ça n'existe pas. Hein ?

Ah mais au fond… tu n'en sais rien ! Tu peux toujours essayer de te persuader toi-même…

Mais il faut admettre que c'est crédible, comme théorie : des fantômes… Après tout, on n'a *jamais* remis la main sur mes trois évadés. Ni vivants, ni morts. Alors, si c'était ça ? Leurs spectres qui reviennent hanter les lieux pour se venger… Ça expliquerait les bruits, les pas dans le couloir, **ET TOUTE CETTE AMBIANCE TERRIBLE !**

Bouge-toi, Zach. À l'abri !!! Ma main tremble, mais j'arrive quand même à ouvrir la première porte que je trouve. Une autre cellule. Vide, celle-là : pas de mannequin sous les draps. Bien.

Tiens : à droite du lit, il y a un jeu de dames rouge et noir, sur une petite table.

Une des occupations des prisonniers de l'époque, sans doute ? Oui, ils ont dû mettre ça pour le décor des visites guidées…

Mais…

Là…

 !!!

Les pièces du jeu, elles bougent toutes seules !

Oh merde, j'ai des visions !!!

Faut se calmer mon petit Zach, hein. Tout doux. C'est rien, juste tes mains qui tremblent.

Tu parles. Je les vois bien, ces ombres qui glissent sur les murs. Ça prend vie, par ici. On se croirait à une séance de spiritisme de mon cousin Albert. Il avait fait parler Napoléon, une fois ; j'en avais fait des cauchemars pendant un bon mois.

Sûr de sûr, ça bouge : à la lumière de ma lampe torche, tout est flou, tout vacille… Comme si deux fantômes se faisaient, tranquilles, une petite partie pour passer l'éternité plus vite. Les deux frères Anglin, pourquoi p…

Tais-toi Zach, tu racontes n'importe quoi.

Tu fais flipper. Ferme-la.

Promis, si je sors vivant de cette aventure-là, à mon retour je ne lirai plus rien qui fait peur. Fini les histoires de meurtres, de monstres et de zombies. Je choisirai uniquement des livres qui finissent bien, avec des licornes magiques et des princesses à paillettes.

Hé, au fait… si j'attendais simplement que mon père prévienne la police ? Ils ne tarderaient pas à venir me récupérer. Je peux aller m'asseoir vers l'embarcadère, je les verrai arriver de loin. Il y aura peut-être maman à bord. Elle me prendra dans ses bras. Elle aura des gaufres au miel dans son sac, et on rentrera tous au camion.

Oui.

C'est ce qu'il faut faire.

C'est l'idée du siècle ! En route, mon gars ! Dans le couloir, mes jambes me portent à nouveau. Je cours vers la porte principale, plein d'espoir. Je vais pouvoir m'échapper à l'air libre…

… quand quelque chose m'arrête net. Un petit son, un bruit de rien, innocent. Un peu de ferraille.

Comme…

Comme un trousseau à mille clefs, secoué par des mains de géant.

Les fantômes.

Je file me cacher derrière un petit mur. Les tintements approchent, une porte claque, je perçois même un souffle, là, tout près de moi… Ne pas respirer trop fort, ne plus respirer du tout. Ne plus bouger. Si mon cœur pouvait cesser de faire ce barouf, aussi, ça serait l'idéal.

Juste derrière la porte, des voix me parviennent.

Des gardiens, peut-être ? Oui, sûrement. Alors tout va bien ! Ils me ramènent à San Francisco et basta. Tant pis pour cette stupide idée d'évasion !

« Y a personne, je te dis. T'as dû rêver, mon vieux ! »

« OK, John. On se casse. C'est vraiment l'heure de partir, cette fois ».

John ?

Et là, sous mes yeux ébahis...

J'ai bien entendu ? John, comme John Anglin...

Voilà, maintenant tout est clair. Je suis en plein cauchemar. C'est bien eux. Enfin, leurs fantômes. John Anglin parle à son frère cadet Clarence, ils vont finir la partie de dames commencée tout à l'heure. Les pions bougeaient, c'était donc ça.

Je mets ma main devant ma bouche pour étouffer le cri de fou qui allait en sortir.

Pitié, je veux que ça s'arrête. Là, tout de suite.

C'était marrant cinq minutes. On a qu'à dire que je rouvre les yeux et hop, terminée l'aventure, d'acc ?! On a qu'à dire que c'était mon imagination, je me réveille en sursaut et je vais prendre mon petit dèj et on n'en parle plus. On a qu'à dire ça, OK ? On n'a qu'à…

Il n'y a plus de bruit.

Plus un seul. Ils sont partis ! Ou alors, ils se cachent pour me surprendre dans un coin ?

Tant pis, pas le choix. Allez, mon sac ! Je me faufile direction la sortie de derrière, vers les jardins et les rochers.

Mon évasion, fuir trois fantômes qui tournent en rond ici depuis 1962 !

Je tourne la poignée…

… mais ça bloque. ÇA BLOQUE !

Et là, là seulement, en repensant au bruit de clefs et de portes qui claquent, je comprends. Je suis enfermé là-dedans. Horrible mais vrai : je suis coincé.

Tremblant comme une feuille, je prends mon carnet de notes et ma lampe. Puis je m'assois par terre, pour faire le seul truc possible à cet instant : pleurer.

OK. Ça soulage.

Maintenant, calmos, Zach. Pense au plan.

Impossible d'atteindre la mer sans sortir de ce bâtiment.

Ma seule solution : revenir au plan initial. Retourner dans la cellule des frères Anglin, retirer la grille du mur[18] et passer par le trou qu'ils ont creusé, cinquante ans plus tôt, à la petite cuillère.

Allez !

Je retourne en cellule. Bien poliment, comme maman m'a appris : et même, je chuchote « bonjour » au mannequin dans le lit ; on ne sait jamais, qu'il soit du genre à se vexer…

J'attrape la plaque. C'est une sorte de grille d'aération que mes évadés avaient entièrement refaite avec du carton au fur et à mesure qu'ils élargissaient le trou, derrière, en grattant la pierre. Puis ils l'avaient peinte de la même couleur que le mur, un vert pâle très « salle d'attente de dentiste ».

[18] C'est pas clair ? Tournez la page, y a un dessin fait exprès !

J'arrache la plaque.

La vache ! Il est quand même sacrément minus, ce trou ! Pourtant, c'étaient des adultes plutôt costauds. Si eux ont réussi à passer, je peux aussi – même si ça me paraît impossible.

Je glisse la tête dans le trou. Dire que j'ai lu des tas de machins sur la spéléologie, comment s'infiltrer dans des espaces hyper étroits, à quel moment respirer… Oui, ben c'était autrement plus fastoche de regarder des vidéos dans mon lit et de s'entraîner avec une tablette sous la couette ! Là, je ne suis pas loin de la panique totale !!! Plus le temps de réfléchir, faut foncer…

Un nouveau bruit, derrière moi, me fait lâcher ma lampe. Je la ramasse et l'éteins dans la foulée !

« On a dû le louper ! Où il se cache ce môme, c'est dingue ! » [19]

Courage, fuyons !

Je ne sais même pas comment j'ai fait, mais d'un bond, en poussant sur mes bras, je me retrouve à l'intérieur

[19] En vrai, ils se parlaient en anglais, hein. Mais pour vous, j'ai traduit. Je suis sympa.

du conduit. Tout en rampant, je me récite à voix basse le contenu de mon carnet de notes.

Avancer doucement, ramper sur une dizaine de mètres.

Au bout du tunnel, une petite échelle en métal rouillé a l'air de m'attendre, tiens. Je grimpe en évitant de me retourner, on ne sait jamais. En levant la tête, j'aperçois un bout de ciel, tout là-haut… La lune brille. Ça m'aide à avancer, oh, je RÊVE de respirer le bon air marin de la baie de San Francisco ! Encore deux marches et j'y suis !

Oui, ça y est ! Cette fois, j'y…

Hé ?

Mon sac à dos ; il me bloque, pile au moment de me relever. Trop gros. Mais qu'est-ce que j'ai fourré là-dedans ?

Tout le matos pour ton évasion, mon vieux !

C'est vrai qu'en plus, faut que je fasse gaffe à ne rien abîmer. Là-dedans, il y a mon canot pour la traversée. Ce serait dommage de le crever.

OK,
on se se-
coue un grand coup, on
force un peu et – *ouuuuf* – c'est
bon. J'ai atteint le toit de la prison. Pas le temps de pro-
fiter de mon exploit : vite, tout le monde descend, direction les rochers. Tout défile autour de moi, ce décor
que j'ai en tête depuis des mois, mais en réel, en vrai !
Encore vingt mètres, dix, cinq… j'y suis presque !!!

Tout au long de ma cavalcade, le sang me fouette les
tempes ; et au loin, la mer me fait de l'œil. Heureusement, des escaliers extérieurs sont fixés le long des
murs. Je saute, ma cheville se tord un peu (ouïlle !!!)
mais rien ne m'arrête ! D'un bond, je prends le chemin
de la plage, celui que j'ai dessiné cent fois dans mon
carnet, et que j'ai rêvé cent fois dans ma tête : je le
connais par cœur.

Et toujours, toujours, je me répète à haute voix ce qu'il me reste à faire avant la grande évasion : sortir les imperméables solidement cousus entre eux, les gonfler avec l'accordéon, attraper les deux bouts de rames, les accrocher avec le gros scotch et... mettre le canot à l'eau[20]. Bref, faire *tout* ce qu'ont fait mes évadés, exactement comme ils l'ont fait, jusque dans les moindres détails (si fou que ça paraisse).

Sauf que...

Encore un truc pas prévu : le brouillard s'est levé.

On n'y voit rien à plus de trente centimètres. Tout est flou, gris, autour de moi. Comme un rideau, ou plutôt un mur de béton entre la suite du périple et moi !

Instantanément, je me mets à grelotter.

Et, comme un malheur ne vient jamais seul... juste au moment où je m'apprêtais à étaler les imperméables sur le sable, j'aperçois, à quelques pas de moi, *des silhouettes qui s'agitent.*

———o—o—o—o—o—o———

[20] Il doit y avoir un plan de construction pour vous quelque part dans ce livre, un peu plus loin.

Oui.

J'en suis sûr, cette fois ! Des ombres, géantes, noires, réelles. Oh, quel silence !… celui de la mort qui n'est pas loin, ou du danger qui rôde, tout près…

« Hé, les gars ! On se grouille ou quoi ?! »

ILS SONT LÀ.

BONUS N°2
Le plan d'Alcatraz

Bâtiment de la prison :
Là où mes trois idoles ont passé
deux ans à préparer leur évasion
et où j'ai passé une partie de la nuit
à avoir très très peur.

Plage et rochers :
Là où j'ai eu la mauvaise
surprise du brouillard — et
une autre, que je ne vous
révèle pas tout de suite !

Toit :
Là où je suis
finalement arrivé
après être monté
à l'échelle.

Jardins :
Là où j'ai retrouvé
un sandwich dans
les buissons.

Mirador :
Là où j'ai respiré le bon air
de la liberté, juste après
le départ du bateau.

Embarcadère :
Là où Caleb a perdu
sa crème solaire, ses lunettes
de soleil, ses tickets d'entrée,
son appareil photo et
ses pansements !

Entre leurs mains

Le matériel tombe par terre, j'ai tout lâché.

Je me sens vide, sec. Même réfléchir, je n'y arrive plus. Pourtant, ce serait le moment ou jamais de mobiliser mes derniers neurones actifs !

Dans ce brouillard dense, solide comme un mur, les ombres grises semblent prendre forme humaine. Là, devant mes yeux.

Il y a ce voile entre eux et moi, ces nuages épais, comme souvent à San Francisco… mais c'est bien réel : JE NE SUIS PAS TOUT SEUL sur la plage.

Mais alors, ces ombres, c'est quoi ? C'est *qui* ?

Sans doute les gardiens partis à ma recherche, après l'alerte que la police a dû donner pour me retrouver ? Oui, voilà... Forcément !

Une partie de moi rêve de se faire oublier, rester là en silence et attendre que ça passe. Mais l'autre partie, un Zach un peu *vaillant*, a très envie de s'approcher pour voir de plus près qui sont ces types !

Finalement, je reste « entre deux » : complètement hébété. Mes pieds s'enfoncent encore dans le sable, un centimètre et je me transforme en statue, un centimètre et je disparais.

« Frank, active-toi, ils vont donner l'alerte. Gonfle plus vite, bon Dieu ! Clarence, tu vois pas que le canot part en sucette, là ?! Recouds-moi ça ! »

Je dois avoir la bouche ouverte, joli tableau. Impossible de dire quoi que ce soit, de penser, de réagir.

Frank.

Clarence – et John, qui leur donne des ordres.

Les trois évadés.

John et Clarence Anglin, et l'autre gars, Frank Morris.

J'étais sur leurs traces et maintenant…

… je les ai face à moi.

Tout s'embrouille dans ma tête.

Où je suis, là ? C'est quoi ? Une hallucination ? Un genre de rêve éveillé ? Faut que je me reprenne. Retrouver mes esprits, et vite. Il y a forcément une explication, un truc rationnel.

Je l'ai ! En vérité, j'avais raison depuis le début : les évadés d'Alcatraz sont bien vivants. Oui, voilà ! Ils vivent depuis 1962 sur une autre île de la Baie…

C'était ma théorie, après tout : ils s'en étaient sortis. Ils avaient réussi à traverser jusqu'à une île, ou même jusqu'à San Francisco. Mais qu'est-ce que ces types, qui doivent être des vieillards s'ils vivent encore, viennent faire là, à Alcatraz, 51 ans plus tard, et en pleine nuit ?!

Ça n'a pas de sens… Sauf… Sauf s'ils sont revenus chercher un truc qu'ils avaient oublié à l'époque ! Un trésor ? Un souvenir ?

Ou alors… ÇA Y EST, JE SAIS ! Une théorie délirante s'échafaude vitesse grand V dans mon cerveau agité, voilà l'histoire : les évadés s'en sortent *mais* restent sur l'île, où ils se cachent ; ils creusent des galeries dans le sable, construisent des cabanes de fortune et parviennent à subsister en se nourrissant des restes des touristes, la nuit. Sandwichs oubliés, poissons rejetés par la mer… Oui, ça se tient ! C'est parfaitement logique ! Comme ça, c'est pas des fantômes, hop, réglé.

… Pitié, ne regardez pas dans ma direction… Pitié, ne regardez pas dans ma direction !!!

Ouuuuups, j'ai dû penser trop fort : l'un d'eux s'approche… et sa voix me secoue les tripes.

« Hé ! Les mecs, y a… Y A UN MÔME, LÀ !!! »

« Nom de Dieu, Frank ! T'as réussi à *picoler* le soir de l'évasion ? Non mais je rêve ! »

« John, je t'assure ! Y a un môme. Un VRAI môme. Venez voir ! Ramène ton frangin, tiens ! »

Et là, un homme perce le brouillard pour venir se planter devant moi. Je lève la tête, c'est un grand type… jeune… il porte les vêtements que j'ai vus dans les documentaires consacrés à l'évasion. Pantalon et chemise de couleur claire. Les cheveux en broussaille, les mains sales – il a les ongles en sang.

Je le reconnais tout de suite, à sa tête sérieuse de prof de maths, ses cheveux bien coiffés… C'est Frank Morris. Mais le Frank Morris *de l'époque.* Un jeune homme d'une vingtaine d'années, qui vient tout juste de réussir la première phase de son évasion. Une évasion dont l'issue divisera les historiens.

Cette fois, cette sûr : j'ai basculé en 1962 – et je ne sais pas pourquoi.

« T'es qui, toi ? RÉPONDS ! Qu'est-ce que tu fous là !? »

« Je… je m'appelle Zach !!! Zach Mackenzie-Mouchon. Je… »

Les deux autres silhouettes approchent. Traversent à leur tour la nappe de brouillard et arrivent près de nous. Les frères Anglin ! John, sourcils froncés, se place devant son cadet. Normal : j'ai toujours été persuadé que c'était le chef, le cerveau de la bande. En tout cas, c'est bien celui qui m'impressionnait le plus sur les photos. Ce regard perçant, noir, mauvais… Le gangster pur. Il est là, à me dévisager. Complètement hébété, les bras ballants, il ne dit pas un mot. Mais il l'a toujours, son regard de tueur ; des yeux qui décident vite et laissent peu de chances.

À ma façon, sans le faire exprès, on dirait bien que je lui cloue le bec ! Rien qu'en étant là, devant lui, dans le brouillard… c'est fort, non ?!

Une autre voix :

« Alors, jetons-y un œil, à ton fameux môme, Frank ! Montre-nous ça ! »

C'est Clarence. Je n'ai jamais entendu sa voix, évidemment. Mais je devine que c'est lui. Une voix plutôt douce. C'est comme ça que je l'ai tout de suite imaginé, Clarence Anglin. Gentil. Pas le profil du malfrat. Peut-être entraîné dans le crime par son aîné ? Je me suis inventé tant d'histoires sur eux !

« Ah ben ça alors !!! J'en reviens pas… un gamin ! Tu mentais pas. »

De son côté, John se prend la tête dans les mains. Il a l'air vraiment furieux. Un gars comme lui, mieux vaut l'avoir comme ami que l'inverse, je pense. Et être toujours d'accord avec ce qu'il dit… Il inspire un grand coup, et puis :

« QUI T'ES, TOI ? Et qu'est-ce que tu FOUS ICI ? »

Je titube, sous le choc. Tous ces mois à décortiquer leurs vies et leur évasion. Tous ces rêves ! Et là, maintenant, dire que je pourrais leur poser des tas de questions, et savoir enfin ce qui s'est passé à l'époque ! Mais au final, tout ce qui me vient, c'est :

« Je… je… je comprends pas… »

« Et nous, tu crois qu'on pige ?! »

« On s'en balance, surtout ! On perd du temps, là. Qu'est-ce qu'on va faire de lui ? »

Et voilà, mon vieux Zach. Tu as compris, ou pas ? Tu avais tout prévu. À la minute près, ou presque. Un plan, une évasion parfaite. Jusqu'ici, tout allait très bien. Seulement, tu n'avais pas imaginé une seule seconde qu'au moment de gonfler ton canot et de prendre la mer, tu te retrouverais avec les trois évadés les plus recherchés de l'histoire des États-Unis.

Et que ton sort serait… entre leurs mains.

6

Mon ticket pour la traversée

Les trois gangsters se penchent en me regardant d'un sale air.

Ils chuchotent.

Décident de ce qu'ils vont *faire de moi.*

Je voudrais tellement être… ailleurs. Me réveiller (si c'est un cauchemar) ou m'endormir (si c'est réel) ! Fermer les yeux et plonger dans un long sommeil, loin de tout ce bazar !

J'entends à peine ce qu'ils se disent, seules quelques bribes me parviennent à travers le brouillard.

… s'en débarrasser…

… solution…

… flics…

… agir vite…

… pas se faire prendre à cause de…

Tout à coup, John Anglin se tourne vers moi :

« Amène-toi ! Vous deux, continuez à gonfler ce fichu canot. Je m'occupe du gosse. »

Il m'attrape par le bras et me force à le suivre.

« Raconte, petit. Avoue ! C'est un piège ? T'es envoyé par qui ? Hein ? »

Jetant un œil par-dessus mon épaule, je regarde les deux autres. Est-ce qu'ils vont le laisser faire ? Probablement… Frank s'active sur l'accordéon : il gonfle les imperméables cousus ensemble. Quelle idée géniale, d'ailleurs ! Et dire que j'allais faire pareil, avec mon propre imper et mon propre instrument… comme un bon petit disciple, idolâtrant des types qui vont le zigouiller, maintenant !

Tout de même, je remarque que Clarence a l'air accablé, un peu perdu. Tandis que Frank se concentre sur sa mission, Clarence, lui, n'arrête pas de s'agiter. Il finit par nous courir après, retient son frère par le coude :

« Arrête, John. C'est qu'un môme. Et lâche-le, tu lui fais mal. »

« Justement, c'est ce qu'on a décidé, non ? De lui faire mal pour qu'il parle ! »

« C'est ce que *tu* as décidé. Frank et moi, on n'est pas d'accord. En tout cas, pas moi ! Un gamin, merde, John… tu dérailles ! Maman n'a pas élevé deux assassins, mon vieux. »

« Frangin, c'est toi qui dérailles. Tu te souviens du plan, pas vrai ? Ce plan qui nous a coûté DES NUITS de réflexion… On ne va pas tout gâcher à cause d'un mouflet ?! Fais le guet et tais-toi. Obéis. »

Sur ces mots, John m'entraîne à nouveau vers les rochers. Maman, papa… comment me sortir de cette horreur ?! Je me crois fichu pour de bon, lorsque Frank se joint brusquement à Clarence, et crie :

« Tu comptes en faire quoi, bon sang ? L'étrangler ? Hein, John ? »

John s'éloigne, mais Frank nous court après tout en poursuivant sa tirade, il a l'air exalté, il tremble, il hurle !

« Un meurtrier en fuite, c'est ça que tu veux devenir ? C'est ça ?! Avec tes conneries, tu fous en l'air toute l'évasion ! Et nos chances de nous en sortir ! »

« Fichez-moi la paix, tous les deux ! On est trop près du but pour laisser ce gamin nous voler ce qui compte le plus : notre liberté ! Deux ans qu'on attend, vous avez pas oublié, quand même ?! »

Clarence nous a lui aussi rattrapés. Enfin, John me lâche brusquement le bras. Aïïïe, la douleur ! Un vrai étau, sa main.

« Frangin… murmure Clarence. Je sais qu'on n'avait pas prévu ça et je comprends que tu aies paniqué. J'y pige rien, je ne sais pas ce que ce garçon fait là. C'est inexplicable. Mais je suis sûr d'une chose : on n'est pas des tueurs. On ne tue personne, *même si ça devait nous coûter notre liberté.* Et sûrement pas un gosse de dix ans. »

« Neuf. »

À peine sorti de ma bouche, je regrette de l'avoir prononcé, ce mot.

Pourquoi est-ce qu'il faut tout le temps que tu ramènes ta fraise, Zach Mackenzie ?! Monsieur je-sais-tout !

Mais Clarence en profite, ça lui fait même de l'argument-choc :

« Tu vois, neuf ans. L'âge qu'on avait quand on a réussi notre premier braquage ! Rappelle-toi comme papa était fier ! »

« Me prends pas par les sentiments, Clar'. On est dans la mouise, avec votre morale à deux balles. Et on prend du retard sur le plan. »

OUUUF.

Je souffle un bon coup : il ne me tuera pas. En tout cas, pas dans les deux minutes. On va faire tout pour que ça dure…

Une idée me vient ; je joue le tout pour le tout.

« JE PEUX VOUS AIDER ! Vous avez BESOIN DE MOI ! »

« Besoin de toi ? Pourquoi ? »

« Je serai votre otage ! Vous pourrez négocier ma libération avec la police ! »

« Un otage ? Ça m'intéresse pas. Tu commences sérieusement à me gonfler, le môme. »

Dans ma tête, ça bouillonne : trouver autre chose. Mentir. Inventer une raison d'être là – sinon, ils garderont toujours un doute sur ma présence ici, inexplicable comme l'a dit Clarence. Et qui dit doute, dit risque. Et pour des criminels en fuite, qui dit risque…

Je me lance :

« Vous savez POURQUOI je peux vous aider ? Votre évasion… **JE LA CONNAIS PAR CŒUR !** Je peux vous aider parce que je sais tout ce qui vous attend, dans cette histoire. »

C'est quitte ou double.

Ou bien les gars me prennent pour un fou échappé de l'asile.

Ou bien ils me demandent des preuves.

BONUS N°3

La Fiche technique

Avouez : vous avez besoin d'une pause, hein ? C'est le moment de la... « fiche technique » !

ÉTAPE 1

Couper en trois parties égales votre imperméable motif « camouflage ». Penser à se munir d'un accordéon (voir Étape 4).

ÉTAPE 2

Coudre les rebords pour fabriquer trois gros boudins.

ÉTAPE 3

Percer un petit trou dans chaque boudin
et le recouvrir de sparadrap.

ÉTAPE 4

Enfoncer le tuyau
d'arrosage relié à l'accordéon, dans le trou prévu
à cet effet.

ÉTAPE 5

Utiliser l'accordéon comme
gonfleur : appuyer, appuyer
encore. Passer à l'étape 6,
sans attendre.

ÉTAPE 6

Y croire. Y croire fort.

Un projet gonflé

« Tu… connais QUOI par cœur ? » me demande Clarence, en faisant exactement la même grimace que sur sa photo de prisonnier – cet air de rigoler pour lui-même, comme un doux-dingue.

Du coup, je me sens un peu plus en confiance.

« En fait, je… je refais votre évasion. D'ailleurs, regardez ! J'ai les mêmes accessoires que vous : des imperméables à gonfler, l'accordéon, des balais pour les rames… »

« *Tu refais notre évasion ?* »

Frank et Clarence éclatent de rire – John, lui, fronce méchamment les sourcils.

« Il *refait* notre évasion ! Ha ha ha ! Faudrait la *faire*, déjà ! »

« Non, c'est pas ça… c'est juste que… »

« Vas-y, explique-nous : ça m'intéresse. »

« Je sais précisément ce qui va vous arriver. Enfin pas *tout* ; mais je sais des choses. »

« Tu dérailles, fiston, hein ? C'est le froid ? T'as pris un choc sur la tête, avoue ! »

« Non, je dis la vérité ! Par exemple, je *sais* que vous êtes sortis de la prison en creusant un tunnel à la cuillère. Et dans vos lits, vous avez placé des mannequins en papier mâché que vous… »

« Tais-toi. Si tu sais ça, c'est que tu as des complices à l'intérieur ! Il y a forcément une explication. »

« Attendez ! Je sais aussi qui vous êtes, je connais vos noms, vos dates de naissance, ce que vous avez fait pour être en prison, comment vous avez insisté auprès du directeur pour avoir le droit de jouer de l'accordéon… »

Ce coup-ci, je vois bien qu'ils sont déroutés. Mais Clarence contre-attaque :

« Ça ne veut rien dire ! T'es peut-être le fils d'un gardien ! C'est ça, hein ? Tu nous observes en douce depuis tous ces mois, et ce soir t'as fugué de chez ton paternel et... »

Zach, ne te laisse pas faire. Riposte ! Assène-leur le coup de grâce !

« Vous avez besoin d'aide, les gars. Surtout pour la suite. *Après* la traversée. D'ailleurs, je sais où vous pourrez trouver la voiture, une fois débarqués. »

J'ai osé. Je ne sais pas comment, mais j'ai osé.

John ne dit plus rien. Cette fois, mon histoire de voiture les a scotchés pour de bon. J'ai gagné, j'en suis sûr. J'ai sauvé ma peau.

Frank intervient enfin :

« Voilà ce que je propose. Le gosse, on le prend avec nous. Sinon, il ira tout raconter à la police. Le canot est gonflé à bloc, tout est prêt. »

Ça alors ! Comme si John n'avait plus son mot à dire, ce sont les autres qui prennent les choses en main !... J'avoue que je préfère ça.

Clarence se tourne vers son frère :

« Il vient avec nous. Je crois qu'il a encore des trucs intéressants à nous raconter... »

Et avec son éternel sourire, il me lance un bout de tissu vert kaki :

« Mets ce gilet : c'est celui d'un copain. Il devait être du voyage, sauf qu'il a pas réussi à sortir de sa cellule. À croire que le destin avait prévu une place pour toi, tu vois ! »

À cet instant-là, je sais que je devrais me taire, mais les mots sortent tout seuls de ma bouche desséchée :

« Oui... votre copain, c'est Allen West[21]. D'ailleurs, c'est lui qui va tout raconter à la police ! »

***

[21] Véridique, les amis ! Le 11 juin 1962, un quatrième prisonnier, Allen West, devait effectivement participer à l'évasion mais il n'est pas parvenu à quitter sa cellule à temps. Les trois autres partent sans lui. Apparemment, c'est son gilet de sauvetage que je récupère.

« Tais-toi ! me hurle John. On n'y pige rien, à tes histoires. On sait pas ce que tu fous là, ni qui tu es ! Comment tu sais, pour Allen ? »

J'enfile le gilet de sauvetage sans rien répondre. Assez tenté le diable !

Pendant ce temps, ils mettent l'embarcation à l'eau et s'installent à bord. Clarence me tend la main :

« Viens, petit. Grimpe. »

Je vais me réveiller. Je vais me réveiller. À tous les coups, je suis en train de délirer avec 40 de fièvre au fond de mon lit, sous ma couette Batman (qui a visiblement oublié sa mission de bouffeuse de cauchemars)... Oui... C'est ça. Je suis grippé et je délire.

En attendant, je tends la main à cet homme et je monte sur le bateau de fortune.

Dormir ?

« On l'a fait ! » braille Frank Morris.

« Tu rigoles ?! Le pire reste à vivre, mon vieux. L'eau gelée, les vagues et les requins de la baie… l'aventure commence ! »

« Ouais, et avec un gamin dans les pattes, en prime. C'est pas gagné. »

Tout ce que Clarence vient de nous rappeler, je le sais très bien. Je le savais même depuis un bon moment. Mais l'entendre, prononcé comme ça, me terrorise.

L'eau est déjà bien agitée ; à tout moment, le canot semble prêt à se retourner comme une crêpe. Et elle est gelée. Rien qu'avec les clapotis et les embruns, je suis trempé.

C'est pour ça que très peu de gens croient que les évadés s'en sont tirés vivants : comment peut-on réchapper à une épreuve pareille ? Sans compter les requins qui doivent rôder autour de nous en attendant le repas du soir… J'hésite à parler, puis je me lance :

« Clarence a raison, vous savez. C'est pas gagné. La traversée va être vraiment dure. Mais vous allez réussir – *on* va réussir. J'en suis sûr, toutes mes hypothèses concordent. C'est pour ça que je suis venu hier sur l'île : pour prouver que vous avez réussi. »

Silence.

Clapotis des vagues.

Bon, je sens qu'il faut que je me taise une minute, je les embrouille.

On n'est pas en 2014, mets-toi ça dans le crâne, Zach ! On est en 1962 et personne ne sait encore que trois prisonniers tentent cette nuit l'évasion la plus célèbre de l'histoire des États-Unis !

« Bon, le môme débloque complètement. »

« Ouais. Cale-toi au fond du canot, fiston, et essaie de te reposer. T'en as besoin. »

« En tout cas, ferme-la. On n'en peut plus de tes histoires. T'as qu'à roupiller un coup ! »

Ça alors, John Anglin sort de son mutisme – évidemment, c'est pas le plus affectueux des trois, mais on progresse : il ne parle plus de me trucider à coups de pioche.

Et maintenant, ils veulent que je dorme. Dormir ? Ils sont sérieux, les gars ? Dormir ?! Alors que je ne reverrai sans doute jamais mes parents, que je suis perdu en pleine mer avec trois fous qui sont censés être morts depuis longtemps (ou très vieux) ? Ils veulent pas me chanter une berceuse, aussi ?

Dormir… j'aimerais bien ! Mais ça me semble difficile, avec ces rochers noirs et scintillants pas loin, le fracas des vagues et notre canot si fragile sur la mer menaçante…

Paniqué, gelé « jusqu'à la peau des os », dirait papy si je l'avais sous la main, j'ai peur. Dormir ?

Je grelotte en regardant autour, au cas où un requin ait décidé de faire de nous son quatre-heures[22].

Dormir ! Les évadés d'Alcatraz ont de l'humour. Ça, c'était écrit nulle part.

« RAMEZ ! Ramez de toutes vos forces ! » scande Clarence pour se donner du courage.

Il ne le sait pas encore, mais moi je la vois : une vague énorme va nous tomber dessus. Je ferme les yeux. On ne sait jamais, que ce soit la fin de mon rêve…

---

[22] Son quatre-heures du mat, disons.

9

Robinson, Edward, Zach...

La déferlante s'abat sur notre fragile canot. Des tonnes d'eau, un mur noir et immense ! Nous voilà coque de noix dans le tambour du lave-linge, secoués, retournés, essorés ! Je m'accroche à ce que je trouve pour ne pas finir à la mer : en l'occurrence, à la jambe de Frank Morris.

Malheureusement, ce n'était que la première d'une série de vagues géantes. Des douches glaciales, à vous stopper net le cœur ! On aura du mal à tenir le coup. Tout grelottant, peinant à respirer, j'ai des visions d'horreur, des souvenirs de lecture foudroyants : nau-frages, récits de pirates, je suis Robinson, je suis Ed-ward Newgate le capitaine du *Barbe Blanche*[23]...

... je suis Zach l'évadé d'Alcatraz ! (Foutu pour foutu autant rêver un peu !)

« On voit rien avec ce brouillard ! »

« Attention ! En v'là une autre ! »

Mes compagnons luttent contre les éléments. À chaque bourrasque, notre canot manque de chavirer, les paquets d'eau jaillissent autour d'eux à chaque geste, tandis qu'ils se démènent.

Ils rament comme des fous.[24]

Ça doit faire des heures qu'on vogue comme ça, je me rends bien compte qu'ils commencent tous à cra-quer. Je me souviens de ce que j'ai lu : on a une espé-rance de vie limitée, ici. Moi je gèle de l'intérieur, jamais eu aussi froid de toute ma vie, je ne sens plus mes orteils – sans doute qu'ils commencent à se fissu-rer, comme des glaçons laissés au soleil. Frank n'a plus

---

[23] C'est le héros de *One Piece*, mon manga préféré !

[24] Et en disant pas mal de gros mots, mais bon, je relève pas.

prononcé un son depuis une heure. Je me demande même s'il ne s'est pas endormi debout, vu qu'il a la tête baissée. Ou alors, il... pleure ? Je n'y vois pas assez bien pour l'affirmer, mais ça n'a rien d'impossible. On s'active en enfer, là.

Les frères Anglin, eux, continuent à y croire, mais les forces s'épuisent.

« Tu parles d'une traversée ! Je préférais presque être au chaud à Alcatraz ! » râle John.

« Ah non, frangin ! Tout sauf ça ! Vive la liberté ! » crie Clarence en levant ses rames en l'air.

« Oui, bon, ça va. Arrête ton cirque, c'est pas le moment de se relâcher. »

Oh là... S'ils se disputent, maintenant, on n'a plus qu'à signer notre arrêt de mort. J'observe la scène, calé comme je peux au fond du rafiot. Et, au fond, c'est bien une sorte de spectacle. Si je n'avais pas aussi mal, coincé avec mon sac sous les omoplates, j'en rirais presque. Un « rire d'effroi », disons.

Un HURLEMENT m'arrache à mes pensées.

John !... il est à l'eau ! Frank s'active aussitôt et fonce vers le bord du bateau. À l'autre bout, Clarence s'efforce de nous maintenir en équilibre, il continue à ramer tout en lançant des regards éplorés vers son frère, grand corps sombre à demi englouti par les vagues rapaces.

« Petit ! Aide-moi ! » crie Frank.

Je suis déjà près de lui ; et d'un coup, jetant la main en avant, j'attrape sans rien voir du tout (elle est où la lune, pour une fois qu'elle pourrait servir ?)... un truc. Un bout de tissu, non, mieux : la manche de John !!! On tire dessus de toutes nos forces, les petites forces qu'il nous reste, on braille comme des monstres de jeu vidéo et John s'agite dans l'eau, se débat et parvient à jeter une jambe par-dessus bord.

« À TROIS ! OK, GAMIN ? »

« OUAIS ! » je réponds, et j'y crois presque.

« C'EST QUOI, TON NOM ? »

« ZACH ! JE SUIS ZACH ! »

« ALORS VAS-Y, ZACH ! UN, DEUX, TROIS !! TIRE ! »

À nous deux, on tire de plus belle, en hurlant pour se donner du courage. Et on y arrive. On retombe en arrière, John roule sur nous, haletant, tremblant de la tête aux pieds.

Il faut se relever, bouger, vite, sinon on va tous mourir de froid !

Tout ce temps, Clarence a continué à ramer. Il a l'air inquiet, nerveux. Mais ce n'est plus la peur d'avoir failli perdre son frère qui l'anime, non... c'est autre chose. Il nous jette des regards affolés, comme s'il

voulait attirer notre attention sans oser nous dire pourquoi...

Pendant que Frank court s'asseoir au fond et reprend les rames, John se frictionne le corps. Et il me dévisage, avec cette expression si dure... Je t'ai sauvé la vie, mec : au moins, évite le regard de tueur ! Tu fiches les jetons, John Anglin.

Finalement, Clarence se dresse vers nous : il inspire un grand coup pour prendre la parole ; et une fois qu'il a toute notre attention, il articule doucement :

« On a un nouveau problème... »

Ça paraît bizarre. Comme s'il nous lisait tranquillement la météo ou l'horoscope du jour. Je comprends soudain que, dans les mêmes circonstances dramatiques, chacun réagit comme il le peut, à sa façon à soi. On crie, on pleure, on insulte les autres, ou bien au contraire on reste calme, presque absent à ce qui est en train de se passer. Clarence est de cette trempe-là. Il reste calme. Calme comme la mort.

« On n'est pas tout seuls », il ajoute.

« T'as repéré les flics ? » demande son frère.

« Non. En fait, j'aurais préféré... regardez à bâbord. »

Moi je ne sais plus dans quel sens c'est, bâbord ; alors je tourne la tête de tous les côtés. Rien en vue. C'est la nuit noire. Sous mes pieds, les gros rouleaux font tanguer le canot toutes les dix secondes.

« Là ! Vous voyez l'aileron ? » dit Clarence.

Et il le dit sur le ton du gars qui n'a plus rien à perdre.

BONUS N°4

Les trois évadés

o━ CE QUE J'AI APPRIS EN CHERCHANT SUR INTERNET :

Frank Lee Morris est né en 1926 à Washington. Il a une intelligence au-dessus de la moyenne. Il a passé sa vie à aller en prison, à s'en évader et à y retourner, avant d'être envoyé à Alcatraz pour purger sa peine, sous le matricule AZ 1441.

o━ CE QUE J'AJOUTE, MOI :

Frank est un original caché derrière un physique sérieux de vendeur de clous. Il a une sacrée force dans les bras (c'est surtout lui qui a tiré John hors de l'eau).

10

Le visiteur

Requin.

Le mot me glace le sang. Je sais *très bien* que la baie de San Francisco est infestée de requins, qu'on est sans défense face à eux, qu'on peut tous y laisser sa peau. J'en peux plus, je veux maman, je veux rentrer !!!

« Il tourne autour de nous depuis un moment… mais ça ne prouve rien. Si ça trouve, c'est pas un requin du genre agressif. »

« Ah, tiens ? demande Frank. Ça existe, ça ? Un genre de requin de compagnie ? »

Il existe donc une autre catégorie de personnes à ajouter à ma liste : ceux qui font de l'humour dans les pires moments !

Et le pire, c'est que ça marche.

Parce que c'est exactement ce qu'il nous fallait. Je ne sais pas comment ça commence, mais j'entends un premier ricanement, retenu. Puis quelqu'un qui glousse. En deux minutes, c'est contagieux : on éclate de rire, tous les quatre. On en pleure à force ; ça doit être nerveux.

« Un requin de compagnie… sacré Frank ! » conclut John, en étouffant un dernier petit rire – et ça nous ramène à la réalité.

« Il est toujours là ? » je demande, sans oser regarder.

« Je vois plus l'aileron. On l'a fait fuir, avec notre fou rire ! » lance John du tac au tac.

S'il se met à l'humour, lui aussi !…

Bon. Je ne sais pas si ça va durer, mais on dirait qu'on a un peu de répit : le départ du requin, les

vagues qui montent moins haut depuis quelques minutes… on peut souffler. Je ferme les yeux pour
m'évader un peu, juste ça : oublier où je suis, même
dix secondes.

Deux lumières.

Qui clignotent.

C'est ce qui me réveille.

Au loin, j'aperçois quelque chose… que je distingue
mal, mais qui *s'approche*. Nettement.

« Là ! Regardez ! À, euh… À tribord ! »

« De quoi tu parles, gamin ? Je vois rien ! » répond
Frank en cessant de ramer.

« Encore une de tes hallucina… »

Wouiiiiiiiiiiiiiiin-Wouiiiiiiiiiiiiiin !!!!!!!!!!

Une sirène.

Ça ne peut être qu'un bateau de police. Et comme
je ne sais pas vraiment où on est ni à quelle époque,
impossible de savoir si la police est là pour moi ou
pour eux…

« Les flics ! » crie John.

« Pas de panique, répond Clarence. Avec le brouillard, on a une chance ! »

Moi… Eh bien, en vérité, je me dis que j'aimerais qu'ils nous retrouvent, finalement. J'ai si froid que je ne sens plus mes jambes, et puis ces attaques de vagues constantes, ça me met au bord de l'évanouissement. Ah, elle était belle ton idée, l'évadé !

C'est bien joli de jouer les génies de l'évasion, mais après faut assumer. Et là… j'assume pas. D'habitude j'ai des visions, en lisant je pars loin, je m'imagine en héros ; là, les fesses dans une mer à 6 degrés, j'ai des fantasmes de bouillotte, de couette à motifs et de bisou qui console.

Sans réfléchir, je me lève en agitant les bras.

« ON EST LÀ !!! PAPA, C'EST MOI !!! »

Le bateau se dirige droit sur nous : il va repérer le canot, c'est sûr. Je suis sauvé.

« Non mais t'es DINGUE ?! s'écrie John en lâchant ses rames. Tu vas tout faire foirer ! ARRÊTE ÇA ! »

Il se jette sur moi et tire sur mon bras gauche pour me faire asseoir. Je ne résiste pas.

« Tu mériterais qu'on te balance à la flotte ! Reste assis et ne bouge plus. »

« John, tu balanceras personne par-dessus bord, rétorque Frank (à qui je ferais bien un petit *check* d'amitié, si on n'était pas en pleine mer). Le petit a perdu les pédales, il aurait pas dû brailler comme ça ; mais c'est lui qui t'a sorti de l'eau tout à l'heure, avec moi. Oublie jamais ça. »

« Petit, on la veut, notre liberté. Ne nous vole pas ça ! dit Clarence en posant sur moi un regard à la fois paisible et, comment dire ?… perdu.

En réponse, je ne sais pas où je trouve encore la force de me défendre, mais ça sort tout seul ; je déclare, d'un air sûr de moi :

« Tu préfères être arrêté ou écrabouillé ? Je te signale que le bateau, il nous fonce dessus. Ils vont nous renverser, et tu ne l'auras pas ta liberté, parce que tu seras MORT ! »

« Il a raison. On risque la collision… »

« On n'a pas le choix, faut passer ! Ramez à fond les ballons, ramez !!! »

Le silence se fait dans le canot. Toujours cet incessant clapotis qui nous rappelle les vagues violentes de la nuit mais c'est plus doux, maintenant. Une accalmie ? Tandis qu'on s'active sur nos rames, on voit les lumières se rapprocher de nous. À toute allure. Ce machin fait la taille d'un immeuble de trois étages, et il va nous percuter !

Je m'égosille :

« MAMAAAAAN !!! »

Les sirènes nous crèvent les tympans.

Passant à ras de nous, le bateau de police nous envoie une montagne d'eau, on se retrouve ballottés par le raz-de-marée, et **CATASTROPHE !** le canot se retourne. Combien de temps ça dure ? dix secondes ? vingt, trente ? Les plus longues de ma vie. La tête sous l'eau, j'agite les bras dans tous les sens en essayant d'attraper quelque chose, je voudrais crier mais impossible, je suffoque, je vais *vraiment* mourir !!! Et dans un flash, une drôle de pensée remonte entre les bulles ; je me souviens d'avoir lu que, dans des conditions de ce genre, un être humain ne peut pas tenir plus de quelques secondes – dix ? vingt, trente ?

*

Après, je ne sais plus.

Moment complètement « out ».

Maman, si je te revois pas…

Jusqu'à ce que je sente qu'on attrape mon gilet et qu'on me hisse.

« Voilà. On est tous à bord. Faut ramer, activez-vous ! On ne doit plus être très loin de la terre ferme. »

« John ! Le gamin est dans les vapes. Si on ne le réveille

pas, il est bon pour la morgue ! »

Je les entends, tout là-haut, qui parlent de moi… mais

je suis trop épuisé pour dire quoi que ce soit.

Réveille-toi ! Une voix.

Une voix m'appelle. *Réveille-toi !* Impossible de sa-

voir qui. Papa ? Maman ? Clarence ? John ? Frank ?

Réveille-toi !

« Réveille-toi, sacré gamin ! Comment il s'appelle,

déjà ? Zach, c'est ça ? »

« Réponds, Zach ! Lâche pas ! On y est presque. »

J'ouvre les yeux. Oh là là, qu'est-ce que ça tangue…
Clarence est au-dessus de moi, il me donne des petites
tapes sur les joues. Ses mains sont trempées.

« On… on est où ? »

« Bientôt à San Francisco. Tu nous as fait peur. »

« Allez, redresse-toi. Ça va aller, maintenant. »

« Mouais, ça prouve surtout qu'on aurait mieux fait
de laisser ce mouflet sur l'île ! » lance John, qui ne lâche
pas l'affaire.

« Rame et tais-toi ! tranche Clarence avec colère. T'as
vraiment la mémoire courte. Il est avec nous maintenant, point ! »

Plus tard, je les entends qui sautent à l'eau – au son,
je dirais qu'ils en ont jusqu'aux mollets – et tirent le
canot. Je vois les rochers.

Oh, papa, maman…
J'avais RAISON !!!

Les prisonniers d'Alcatraz ont *réussi leur évasion*. Ils ont *survécu* à la traversée de la baie. Si on n'a jamais retrouvé leurs corps, c'est tout simplement parce qu'ils y ont survécu.

Et ça, je le sais : j'y étais.

Enfin j'y suis, quoi.

« On l'a fait ! On l'a fait ! »

Ils sont très heureux tous les trois, et je me joins à eux.

On me tape dans les mains, on me frotte le dos… J'en pleure de joie : en fin de compte, je vais peut-être revoir ma famille ![25]

---

[25] À ce moment-là, j'oublie un détail… c'est bien mignon tout ça, mais on est en 1962, et mes parents m'attendent en 2014.

Frank et Clarence retirent leurs gilets de sauvetage. Et alors…

… il arrive cette chose incroyable : c'est John qui me prend dans ses bras, m'extrait du canot et me porte jusqu'à la rive. C'est John qui me sauve.

« Accroche-toi. C'est les derniers mètres. T'es un sacré petit gars, Zach. »

Je suis dans les bras de John Anglin et tout va bien.

Je suis sauvé.

On the road

S'agit pas de traîner. C'est sûr qu'on a la police aux fesses. Les évadés feront tout pour échapper aux agents, moi je sauterais volontiers au cou du shérif… mais je suis docilement la troupe. Je fais partie de cette bande, après tout !

On court sur les rochers, pour aboutir à une plage.

Le soleil ne va pas tarder à se lever.

« Allez, les gars : on rejoint la route et on pique la première voiture qu'on trouve ! »

Nous voilà arrivés sur un parking – je ne sais pas où, je ne sais pas quand. Un parking semblable à tous ceux que je connais. J'ai l'impression qu'il y a beaucoup de vieilles voitures, des chromes étincelants… mais je n'y connais pas grand-chose.

Frank Morris essaie d'en faire démarrer une.

« Ça vous va, une Buick ? » il demande en passant la tête par la vitre ouverte.

Aussitôt, tout me revient.

J'ai lu un article sur Internet là-dessus, au cours de mes longues nuits de recherches sur l'évasion !

« La police de San Francisco déclare le vol d'une automobile de marque Chevrolet, de couleur bleue, dans la nuit du 11 juin. Il n'est pas absurde de penser que les évadés d'Alcatraz aient pu s'en emparer et poursuivre leur cavale en Californie. Rappelons que ces trois prisonniers ont… »

J'avais appris l'article par cœur. C'était un des indices qui m'avaient fait conclure à l'hypothèse d'une évasion réussie. Ainsi qu'au shérif Michael Dike, d'ailleurs.

« Pas une Buick ! Non, ce n'est pas la bonne ! » je lance, avec fermeté.

« La bonne quoi ? »

« La bonne voiture ! Ce n'est pas celle-là que vous avez volée, je m'en rappelle. »

« Vraiment n'importe quoi !!!? On n'a encore rien volé, je te signale ! »

« Peu importe. Ce qu'il vous faut, c'est une Chevrolet bleue. Celle-là, à côté. »

« Arrête un peu tes bêtises, réplique Frank. Tout le monde à bord ! On perd du temps, là... »

Mais c'est John qui intervient :

« Il a un pneu à plat ton bolide, Frank. Le môme a vu juste, on monte dans la Chevro-let... »

Nous y voilà. J'ai gagné. J'ai réussi à agir sur le cours des choses. Dingue, non ?

En fait, je l'avais pas imaginée

comme ça. Elle est pas si usée, cette Chevrolet bleue. Le chrome est brillant, les formes galbées… elle a de l'allure, cette bagnole !

Je m'installe à l'arrière, à côté de John. L'odeur du cuir me monte aux narines. Je savoure.

Ils se mettent bientôt à parler tous les trois ; ils discutent de la suite des événements. Ils vont changer d'identité, se mettre au vert au Nevada ou au Nouveau-Mexique, et après ça…

Mes yeux se ferment tout seuls.

« Ça va, petit ? Tu tiens le choc ? » me demande John –
et à son intonation, je sens que je n'ai plus rien à crain-
dre de lui.

« Oui, je… »

Je ne tiens plus. À bout de forces, je pose ma tête sur
l'épaule de mon voisin de galère. Presque un ami, en
fin de compte. Un ami à qui j'aimerais bien dire à
haute voix ce que je pense tout bas…

… à ton avis, est-ce que je vais rentrer chez moi, en
2014 ?

12

Loin de chez nous

Il fait jour.

Je viens de me réveiller, et pour tout avouer, j'avais vaguement imaginé qu'en ouvrant les yeux, tout serait rentré en ordre. Que je serais dans ma chambre, avec mes BD, mes livres, Daft Punk dans les écouteurs et mon poster AVENGERS.

Tous ces trucs qui n'existent pas encore en 1962…

C'est raté.

On est garés sur un autre parking : cette fois encore, on se croirait dans un festival pour nostalgiques des années 60 : je reconnais certains vieux modèles que mon père collectionne, mais en taille réelle, et flambant neufs !

John et Clarence ronflent copieusement, Frank dort en souriant : ils doivent rêver de liberté, d'évasion réussie. Dehors, des arbres partout, pas d'embouteillages, pas de centres commerciaux, pas d'affichage publicitaire pour le dernier smartphone à la mode... Pas de doute, on est bel et bien dans le passé.

J'arrive pas à comprendre comment ça a pu arriver. Et ce qui est drôle, c'est que jusqu'ici je n'ai pas vraiment eu le temps de me poser la question. Comment est-ce que j'ai pu me retrouver dans le remake du remake de *Retour vers le futur*[26], moi, Zach Mackenzie-Mouchon, le gars normal à qui il n'arrive jamais rien ?

En attendant, on est quatre évadés en fuite et faudrait pas traîner dans le secteur. Je prends les commandes :

---

[26] Quoi ? Tu ne connais pas *Retour vers le futur* ?! Mais il est super, ce film ! Dedans, il y a un savant fou, un ado complètement immature, une voiture qui voyage dans le temps... et même un skate qui vole !

« DEBOUT LES GARS ! Il est tard, je vous rappelle qu'on a la police aux trousses. »

Clarence ouvre un œil, puis les deux :

« T'as raison ! Et puis, j'ai faim. On n'a rien avalé depuis des lustres, bon sang. »

Frank se remet au volant.

On roule quelque temps. Je regarde par la vitre, complètement fasciné par ce monde qui défile, dehors. Tout est nouveau pour moi. Une Amérique à l'ancienne, les « drive-in », les vieilles publicités peintes directement sur les murs, aucun fast-food rouge et jaune… Brusquement, je réalise que le choc doit être tout aussi fort pour les trois autres : eux aussi découvrent un monde qui a certainement changé pendant leurs années de prison. On est pareils.

En traversant une petite ville, on tombe sur un genre de fête foraine. Un campement, des tentes, une estrade en bois et plein de gens en train de boire et de rigoler.

« On devrait pouvoir trouver à manger par ici ! » je dis.

« Ouais, t'as raison. Arrête-toi là, Frank. On va voir ce qu'on peut dégoter. »

Avec mes trois complices, on se promène. C'est un festival de musique : des jeunes gens partout, habillés à la mode de l'époque, assis par terre en attendant les concerts. Certains chantent, jouent de la guitare en buvant des bières. J'aime l'ambiance tranquille qui règne ici. Ça détend, après ce qu'on vient de vivre ! John nous fait entrer en douce sous une sorte de tente de cirque.

Comme dans les coulisses d'un théâtre, on découvre une multitude de costumes, de déguisements et de perruques.

« Gaffe, hein ? Y a sûrement déjà des affiches partout avec nos photos. »

Là, Frank s'immobilise, les yeux brillants du type qui a une idée géniale (je le connais bien, ce petit air-là : mon père l'a souvent après avoir passé trois heures à réfléchir à un nouveau jeu !)

« Y a qu'à se déguiser ! On passera inaperçus, au milieu de tous ces gens qui font la fête ! »

John hoche la tête d'un air de chef, puis :

« Bonne idée. Tiens, Clarence, enfile ça… tu seras superbe ! » dit-il à son frère en lui tendant une robe à fleurs et une perruque blonde.

Quelques minutes après, on ressort tous les quatre de la tente, méconnaissables. Un cow-boy, une jeune fille (plutôt jolie, en effet !), un Indien navajo et un petit clown aux cheveux verts. Sous mon maquillage, je me tords de rire : et j'en oublie presque mes (énormes) soucis.

Tout en furetant en quête de nourriture, on traîne comme une bande de potes ; Frank, notre Navajo du jour, va même jusqu'à sauter sur un petit kiosque pour se livrer à une impayable exhibition de danse indienne, en entendant une musique de son enfance. (Bon, je précise que cela sert aussi de diversion, puisque les frères Anglin ramassent au passage, derrière un bar, un gros jambon, du pain et des oranges pour notre repas).

« Hé ! Les gars ! J'ai envie d'une barbe-à-papa ! Quand j'étais petit, j'adorais ce truc ! »

Qui pourrait se douter qu'on est les malfrats les plus recherchés du pays[27] ?

*

Assis par terre, on assiste au spectacle de trois chanteurs mexicains : *Los Gringoleros* ! Avec leurs immenses

[27] Ben oui, « on » ! Moi aussi, je suis un évadé d'Alcatraz, non ?

chapeaux et leurs guitares rutilantes, ils ont un succès fou. Entre deux morceaux, ils annoncent la tournée qu'ils préparent dans tout l'Ouest américain, à bord de leur camion à fleurs (un monstre de couleurs, encore plus voyant que notre camion rouge)[28].

Mes évadés préférés apprécient la fête. Ils applaudissent, sifflent et rigolent. Je voudrais qu'ils se fassent moins remarquer… mais bon, je comprends aussi qu'ils aient envie de se défouler un peu, après tout ce temps en prison. Et puis, c'est pas à moi de leur dire : « Au lit, les petits ! », je suis pas baby-sitter, oh !

Après un dernier rappel, les musiciens saluent et quittent la scène.

Clarence montre alors aux autres l'affiche de tournée des *Los Gringoleros*, avec les prochaines dates de concert, en Californie et au Mexique. Tous trois se regardent avec l'air de comprendre un truc, disons… réservé aux adultes[29].

---

[28] Oh, papa, maman ! Vous me manquez ! Si vous voyez ce message, sachez que je pense à vous. En 1962, je pense à vous.

[29] Un peu comme quand mes parents se disputent dans un (très) mauvais espagnol pour pas que je comprenne.

Puis Frank fait un clin d'œil à John, et brutalement, ils s'éclipsent.

Je reste dehors avec Clarence, qui me paraît nerveux, à les attendre.

Je n'ose rien dire.

Finalement, c'est lui qui se tourne vers moi :

« Ça va, mon gars ? T'es pas trop inquiet, hein ? Je sais que John t'a un peu… intimidé. Mais je t'assure, c'est pas le mauvais bougre. Tu te l'es mis dans la poche. D'ailleurs, je suis sûr qu'il n'a jamais vraiment *voulu* te tuer. »

« Ben, c'était bien imité, alors ! »

« Il paniquait. Faut dire, y avait de quoi ! Quand on t'a trouvé là… Bref. Rassure-toi : mon frère joue les gros durs, mais c'est pas un tueur. »

« Je sais bien, Clarence. Vous n'avez jamais tué personne. Que des cambriolages… »

« T'en sais vraiment gros comme un dico sur nous, hein fiston ? »

« Ça, tu peux le dire ! Je suis même un spécialiste ! »

Je sens que Clarence a envie de me poser d'autres questions… et qu'en même temps, quelque chose l'en empêche. De mon côté, je me retiens aussi, alors qu'il y a des tas de détails que je voudrais éclaircir. De toute façon, Frank et John reviennent avant qu'on ait recommencé à discuter ; et je me dis qu'en fait, il vaut peut-être mieux, parfois, ne pas tout comprendre.

D'ailleurs il y a plusieurs choses que je n'ai pas du tout envie de savoir.

Je ne veux pas savoir pourquoi, un quart d'heure après, on se retrouve tous les quatre dans un certain camion à fleurs bourré d'instruments de musique et décoré à la mexicaine…

Je ne veux pas savoir ce que John et Frank ont fait des vrais Gringoleros, ni pourquoi mes trois évadés portent leurs tenues de scène et leurs chapeaux mexicains…

Et je ne veux pas savoir pourquoi John a un œil au beurre noir et la lèvre en sang.

Non, je ne pose pas de questions : c'est l'heure du dîner et je me rue sur la tranche de jambon qu'on me tend, puis je mords dans un énorme morceau de pain épicé.[30]

Au moment où le camion démarre, John me propose un dessert-surprise : un énorme morceau de gâteau aux fraises, débordant de crème, servi dans une assiette en porcelaine. La classe. Je m'apprête à fourrer les doigts dedans, mais il m'arrête d'un geste :

« Tiens, sers-toi de ça. »

J'attrape la cuillère qu'il me tend. Une cuillère… abîmée… usée.

---

[30] Je note au passage qu'on me refuse le droit de boire un peu de bière ! Paraît que c'est pas de mon âge. Et les évasions, c'est de mon âge, peut-être ?

« Tu sais à quoi elle a servi, hein ? » il me dit – et il dit ça *en souriant*, John Anglin.

Bien sûr que je sais. C'est la cuillère avec laquelle il a creusé le mur de sa cellule, pendant des mois, pour s'échapper.

« Oui… je chuchote… c'est… »

« Chut, dis rien. Je ne sais pas comment tu sais tout ça, mais… je te la donne. Ça te fera un souvenir. »

Les deux autres n'ont rien entendu.

Je déguste mon dessert.

« Et maintenant, on va où ? » je demande.

« Là-bas ! répond Clarence en pointant du doigt une affiche. À Mexico ! On a toute une série de concerts prévus, et ça commence le 23 juillet ! Ha ha ! »

« On est Les Gringoleros, oui ou non ? » s'exclame Frank, tenant le volant du camion d'une main, un verre de vin dans l'autre.

Ils éclatent de rire.

Je ne sais pas pourquoi, mais moi, ça me donnerait presque envie de pleurer.

Épuisé, je m'étends sur la banquette. Ma perruque verte me servira d'oreiller, tiens.

Après les rires, la conversation des évadés devient plus sérieuse. C'est flou, je n'entends pas tout, mes yeux se ferment tout seuls. Les voix se confondent…

« Et le môme Zach, alors, on en fait quoi ? On l'emmène? »

« Tu veux lui apprendre le métier, maintenant ? Tu deviens sentimental, John ! »

« Arrête… Il est chouette, ce gosse. Et courageux avec ça. »

« Oui, mais tu oublies qu'il a sans doute une famille, des parents… »

« Et peut-être même que son père est maton à Alcatraz ! »

« Il ne mérite pas ça… fuir, fuir tout le temps : la cavale, c'est pas une vie pour un môme. »

« Alors, on va devoir… »

Oh là !

On va devoir quoi, les gars ?

Hein ?…

Juste avant de sombrer dans le sommeil, je saisis les trois derniers mots de leur conversation :

« … pas le choix. »

Je serre les poings. Et je m'endors.

13

Le début de la fin
(à moins que ce soit l'inverse)

Dormir… encore un tout petit peu…

Depuis que cette histoire de fous a commencé, je rêve de me réveiller et que tout soit redevenu normal. Alors, oui, faire traîner un peu, dormir…

Finalement, j'ose : j'ouvre les yeux.

Un grand ciel bleu.

Ça, en 1962 ou en 2014, c'est à peu près la même chose.

Je tourne la tête vers la mer, cette mer glaciale que je connais bien pour y avoir barboté ; dans le fond, là-bas, mon île : Alcatraz.

Ils m'ont ramené à San Francisco ?!

« Les gars ? Les gars !? »

Pas de réponse.

Quelque chose bouge près de moi ; une ombre velue s'approche et... une grosse langue râpeuse me lèche la joue !

Je me redresse en sursaut.

Aucun évadé ronflant à mes côtés.

En revanche, il y a bien cette gigantesque masse gris foncé, allongée là, qui me regarde fixement.

« Jean-Louis !? »[31]

Mais oui, c'est lui ! L'éléphant de mer du Pier 39 ! Ce Pier 39 qu'on a visité avec mon père... il y a 24 heures... il y a 52 ans... il y a un siècle.

Apparemment, j'ai dormi contre lui, blotti contre sa peau toute chaude. Mes vêtements sont encore trempés.

Je lève la tête. Depuis les quais, une dame nous observe, Jean-Louis et moi. Drôle de duo, elle doit se dire. Elle a

---

[31] OK, c'était pas gagné qu'il me réponde, le Jean-Louis. Mais bon, après l'aller-retour en 1962, je pouvais y croire, au fait que les phoques parlent... Non ?

l'air légèrement paniquée. Et un portable à l'oreille. Ça,
c'est signé 2014.

*

La police est sur les lieux rapidement. J'ai droit à
mille questions.

Une chose est sûre : mes réponses ne plaisent pas aux
enquêteurs.

« Petit, c'est sérieux, une disparition de 24 heures. Alors arrête de te moquer de nous, OK ? »

« Je me suis évadé de la prison ! Puisque je vous le dis ! J'ai gonflé le canot avec l'accordéon ! »

« La vache, ce môme délire à pleins tubes. On va le laisser se reposer. »

« Et puis y avait les frères Anglin, et Frank Morris ! Et puis… »

« Écoute, gamin, il faut vraiment que tu te calmes, et que tu te taises. Soit tu te fiches de nous, soit tu es encore sous le choc de l'hypothermie. Dans les deux cas, tu nous tapes sur le système. »

Je m'acharne à expliquer, à expliquer encore, mais je vois bien que personne ne me croit, alors à quoi bon ?… À quoi ça sert, tout ça ? Je me fatigue pour rien.

Soudain, je les vois. Au bout du quai.

Papa, maman !

Ils courent vers moi, en larmes tous les deux.

On n'a plus besoin de mots, dans ces cas-là. On se serre fort. Je respire un grand coup pour sentir à fond leur odeur. Je plonge le nez dans le foulard de maman et j'y suis : à la maison.

Elle me dit qu'elle m'aime, qu'elle a eu si peur. Papa n'arrête pas de répéter qu'il s'en veut, qu'il aurait dû faire plus attention à moi, que ça n'arrivera plus jamais

et qu'il va se montrer « plus responsable ». Comme si c'était possible ! Et comme si c'était ce que je voulais ! On me couvre de bisous. On me caresse les cheveux. Maman m'inspecte de partout, me renifle, me papouille, vérifie que tout va bien. Papa me serre fort, fort, j'étouffe un peu mais je ne dis rien.

Plus tard, le chef de la police vient à notre rencontre. Il rapporte à mes parents le « contenu de mes allégations » : l'évasion, les complices, la traversée, la Chevrolet bleue...

Je souris.

Après l'avoir bien écouté, maman se penche doucement vers moi ; puis elle me chuchote, d'une voix toute tendre :

« Mon chéri, maman est là. On va s'occuper de toi. »

Mais le flic n'a pas fini :

« Les gens dont parle votre fils... ils existent, vous savez. Enfin, ils ont existé. Ce sont les trois prisonniers qui ont tenté de s'échapper d'Alcatraz. En 1962. »

« Ils n'ont pas « tenté », ils ont *réussi* ! J'étais avec eux ! »

Mes parents se regardent, affolés.

« Oui, mon chéri. Ne t'agite pas. Heu, commissaire ? On le ramène au camion. Allez, viens mon chéri. »

« Attendez, non ! Je vous jure que c'est vrai ! On a ramé jusqu'à une plage, on a volé une voiture, on s'est déguisés, on a mangé du jambon, on a... »

Je m'arrête net. Je sais que personne ne me croit et que personne ne me croira *jamais*. J'abandonne.

« D'accord. On rentre. »

« Oui, et il faut te changer. Tu vas attraper un rhume. Regarde, tes habits sont trempés. »

Papa s'approche de moi. Il observe de près ma polaire bleue, que j'ai enfilée avant de le semer à l'embarcadère. Puis il touche le tissu de mon gilet de sauvetage.

Il lève des yeux ronds vers ma mère.

« C'est quoi, ce vieux machin ? »

« Mon gilet. En vérité c'était celui d'Allan, mais ils m'ont... »

« De qui ?! »

« Laisse-le, Caleb. On rentre au camion. Qu'est-ce que tu dirais d'un bon chocolat chaud, mon Zach ? »

« Avec des pancakes au sirop d'érable ?! »

On salue le commissaire, tout étonné de voir mon père enfiler ses lunettes de piscine[32]. Maman me prend la main. Je me retourne vers Jean-Louis pour lui dire merci de m'avoir tenu chaud ce matin, mais il est déjà dans l'eau, tel le vieil éléphant de mer qu'il est.

En chemin, maman reprend :

« Oh, toi, tu vas te prendre un sacré savon, demain ! Tu devras expliquer au shérif pourquoi tu as essayé de semer papa sur l'île, mais surtout… »

« … mais surtout, pour l'instant, il lui faut du repos. Et des nuggets bien gras. », dit papa.

On marche un peu tous les trois. Comme des gens normaux.[33]

―――o―o―o―o―o―o―――

[32] Rien de mieux pour avoir l'air sérieux face à des enquêteurs, pas vrai. Il m'a manqué, Caleb Mackenzie.

[33] Enfin, si on oublie que mon père porte son kilt écossais. « Ben quoi ? Je n'ai pas eu le temps de me changer quand ils ont appelé pour nous dire que tu avais été retrouvé ! »

Subitement, je commence à me demander si je n'ai pas rêvé tout ça. Ma rencontre avec les prisonniers, toute cette aventure délirante…

Tout semblait si vrai, pourtant. C'était si dur, si froid, si mouillé, si dangereux, si… merveilleux !

Je plonge mes mains dans mes poches. Il y a quelque chose au fond.

Je m'arrête de marcher.

La cuillère de John… là ! La cuillère abîmée, usée, qui a servi pour l'évasion et pour déguster mon gâteau dans le camion des Gringoleros !

Je ne dis rien.

Et je ne dirai jamais rien, à personne.

Ce sera mon secret.

Dans ma poche, au chaud.

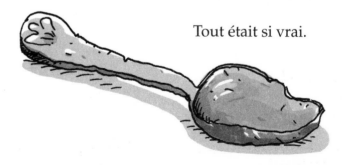

Tout était si vrai.

Épilogue

Forcément, dès le lendemain j'ai dû m'expliquer auprès de mes parents, inventer une histoire qui tienne la route, et promettre de ne plus jamais fuguer. Et surtout, bien dire et redire que ça m'avait servi de leçon, que j'avais eu vachement peur et que jamais, au grand jamais[34] je ne ferais à nouveau une bêtise pareille.

J'ai même juré sur ce que j'ai de plus précieux : mes livres d'aventure.

[34] À la fin, j'en ai rajouté un peu dans le genre théâtral, pour qu'on me fiche ma paix.

Par la suite, j'ai complètement arrêté de parler de mes trois copains, de 1962 et du reste. Je sentais bien que j'allais finir par passer pour un fou.

Alors je me tais.

Le soir, dans mon lit, je discute avec eux à haute voix. Je leur demande où ils sont, si tout va bien. Ils ne répondent pas, bien sûr.

J'ai caché la cuillère sous mon oreiller. La première chose que je fais le matin, c'est vérifier qu'elle y est toujours. Peut-être qu'un jour, quand je serai adulte, elle aura disparu, comme ça, par magie ? Mais j'aime mieux ne pas y penser.

Parfois, souvent, avant d'ouvrir les yeux, je rêve une seconde – une seconde, pas plus – que je vais me réveiller en 1962, pour poursuivre la cavale. Ça n'arrive jamais.

***

Les vacances ne sont pas finies. Mes parents veulent me changer les idées et repartir en vadrouille. Maman

aimerait bronzer à Los Angeles, Papa préférerait visiter Roswell et le musée des Aliens.

« Et toi, Zach, où tu veux aller ? » me demande Papa devant son bol de céréales.

Je réfléchis un peu… et puis ça me frappe, comme une évidence. La bouche pleine d'œufs brouillés au bacon, je réponds :

« On est le combien ? »

« Le 21 juillet, mon grand – j'ai vérifié. Tu vois, je m'améliore avec les chiffres ! »

« Alors, pourquoi pas un tour à Mexico ? »

« À Mexico ?! Mais pourquoi ? »

« Y a un concert sympa le 23, là-bas. Un groupe que j'aime bien. Les Gringoleros. Ça vous dit ? »

FIN

★ **En bonus :**
Les trucs & astuces
de Yoan et Abdou
pour embobiner les
adultes, une recette
...

9 782848 656830

Couverture souple avec rabats
160 pages - **9,90 €**

L'OGRE AU PULL VERT MOUTARDE

Marion Brunet

Illustrations Till Charlier

Abdou et Yoan vivent dans un foyer pour enfants.
Oui, ces enfants dont personne ne veut… ceux qui n'ont
« pas d'avenir », comme le répète l'horrible Directeur du
foyer. Heureusement, les deux copains ont de la res-
source ; et quand ils découvrent que le nouveau veilleur
de nuit, ce bonhomme énorme, très très costaud et très
très laid, **est un OGRE**, ils ripostent. Pas question de se
laisser croquer comme des cookies !
Et puis, au fait : qui sait si cet ogre n'a pas quelques
points communs avec eux ?

L'auteure :
Marion Brunet

Marion Brunet vit à Marseille. Elle a travaillé
en foyer d'accueil pour enfants avant d'exercer
en hôpital de jour pour adolescents. Son premier roman, *Frangine* (paru dans la collection
EXPRIM'), a remporté un très beau succès.

L'illustrateur :
Till Charlier

Né en 1982 à Trèves, en Allemagne, diplômé
des Arts Déco de Strasbourg, **Till Charlier**
a publié dans *Mes Premiers J'aime Lire* et illustré
plusieurs romans, dont *La Boulangerie de la rue des
dimanches* ou *Sept farces pour écoliers et Huit farces
pour collégiens* du célèbre Pierre Gripari.

SACRÉE SOURIS

Raphaële Moussafir

Pépix

★ **En bonus :**
Les leçons de
désobéissance
de Léonore la souris,
un glossaire…

9 782848 656823

Couverture souple avec rabats
224 pages - **11,90 €**

SACRÉE SOURIS

Raphaële Moussafir

Illustrations Caroline Ayrault

**Comment Léonore, une petite souris – mais vraiment
supra-minus –, est devenue LA petite souris,** celle qui
te refile un billet contre une dent de lait.
À l'origine, Léonore n'était pas la plus travailleuse des
souris : elle était même super douée dans l'art de faire
semblant de débarrasser la table. Elle vivait avec ses
parents et sa sœur dans le Grand Grenier du Château
Grandiose, comme tout son peuple… mais le jour où
la Reine des souris meurt, les laissant toutes **à la merci
des rats**, il faut bien trouver une solution.
La solution : un palais fortifié. Un palais bâti…
avec des dents de lait !

L'auteure :
Raphaële Moussafir

Raphaële Moussafir est l'auteure de *Du vent
dans mes mollets*, qui est à la fois un roman,
une BD et un film – tous trois ont connu un
formidable succès.

L'illustratrice :
Caroline Ayrault

Diplômée de l'ESAG Penninghen, **Caroline
Ayrault** est une jeune illustratrice à l'univers
décalé et coloré. Sa marque de fabrique : la
finesse d'un trait à la plume et à l'encre de
Chine alliée à la poésie de l'aquarelle.
Sacrée Souris est son premier roman illustré.

★ **En bonus :**
Le guide de survie
du super-héros en
milieu ordinaire

9 782848 657127

Couverture souple avec rabats
144 pages - **9,90 €**

SUPER-LOUIS

Florence Hinckel

Illustrations Anne Montel

La nuit, Super-Louis écrabouille les méchants.
Mais le jour, la vie de Louis n'est pas reposante non
plus. À cause de Brutus, son « meilleur ennemi », qui se
moque de lui parce qu'il est trop gros. À cause de
Vanessa, qui lui plaît… un peu trop. Voilà pourquoi il
décide de rédiger un *Guide de survie du super-héros*.

Et il en aura bien besoin pour tenir tête à Nubuck, un
gangster qui va les kidnapper, lui, Brutus et Vanessa,
et les emmener sur « l'île aux 40 crânes », où vit l'inquié-
tante piratesse, Balafre-à-Dents-d'or… **une formidable
aventure commence !**

L'auteure :
Florence Hinckel

Florence Hinckel est née en 1973. Elle aime
explorer tous les genres, du récit intimiste à la
science-fiction, en passant souvent par la case
«humour». Avec *Super-Louis et l'île aux 40 crânes*,
elle se lance avec jubilation dans le récit
d'aventure !

L'illustratrice :
Anne Montel

Graphiste et illustratrice d'origine nantaise et
habitant dans la région bordelaise, **Anne Montel**
illustre des albums jeunesse, des romans et des
bandes dessinées. Elle travaille aussi régulière-
ment pour la presse. Sa dernière publication est
une BD de Loïc Clément, *Le Temps des Mitaines*.

Collection dirigée par Tibo Bérard

© Éditions Sarbacane, 2014

Achevé d'imprimer en mai 2014
sur les presses de l'imprimerie ᴣ᷇᷇ Grafica Veneta S.p.A.
N° d'édition : 0004
Dépôt légal : 2ᵉ semestre 2014
ISBN : 978-2-84865-713-4

Imprimé en Italie